«J'ai beau vivre à une époque où la pitié nous sollicite de toute part, j'ai beau avoir grandi à une époque où les mots *guerre, concentrationnisme, antisémitisme, négritude*, ces mots désespérément vieux ou encore plus désespérément neufs, jetaient le trouble dans nos idées quotidiennes et notre vocabulaire quotidien, rien de tout cela, j'ai honte de l'avouer, ne sollicite autant ma pitié que les enfants que nous avons été. Que l'enfant que j'ai été puisque, forcément, ma propre détresse m'est la mieux connue.»

Claire Martin,
Quand j'aurai payé ton visage

Du même auteur

Robert Charbonneau, le doute et le secret
(commentaire critique), précédé de Aucun chemin n'est sûr…
(nouvelle) de Robert Charbonneau, XYZ éditeur, 1990.

Souvenirs inventés (nouvelles), VLB éditeur, 1993.

Retour
sur les années
d'éclipse

Données de catalogage avant publication (Canada)
Salducci, Pierre,
    Retour sur les années d'éclipse
    ISBN 2-7604-0519-2
    I. Titre
PS8593.U5348R47 1996   C843'.54   C96-940021-7
PS9593.U5348R47 1996
PQ3919.2.V84R47 1996

Illustration de la page couverture: Catherine Fréchette
Couverture et mise en pages: Acapella communications
                            Catherine Fréchette
                            Lyne Lafontaine

© Les éditions internationales Alain Stanké, 1996

Les éditions internationales Alain Stanké bénéficient du soutien financier du Conseil des Arts du Canada pour leur programme de publication.

ISBN 2-7604-0519-2

Dépôt légal: premier trimestre 1996

Si vous souhaitez recevoir notre catalogue et être tenu au courant de nos publications, envoyez vos nom et adresse à l'adresse suivante:
Les éditions internationales Alain Stanké
1212, rue Saint-Mathieu
Montréal (Québec) H3H 2H7

IMPRIMÉ AU QUÉBEC (CANADA)

Pierre Salducci

Retour sur les années d'éclipse

roman

Stanké

Prologue

QUAND LES ASTRES
SE SONT DÉGAGÉS

*Ou comment Pierre Fortin
mit un terme à ses années d'éclipse
pour paraître en pleine lumière
et comment, pour ne pas devenir fou,
il entreprit d'évoquer quelques tableaux
représentatifs de ce qu'il avait vécu.*

«Mais pourquoi tu l'aimes comme ça
et pas nous, jamais...
La mère ment:
— Je vous aime pareil mes trois enfants.
L'enfant crie encore. À la faire se taire.
À la gifler.
— C'est pas vrai, pas vrai. Tu es une
menteuse. Réponds pour une fois...
Pourquoi tu l'aimes comme ça et
pas nous?»

Marguerite Duras,
L'Amant de la Chine du Nord

Si certains le cherchaient dans des tableaux célèbres aux poses alanguies, dans des livres qui contaient ces histoires connues et sentimentales pareilles aux légendes éternelles, dans des films aux images glacées ou dans des musiques de rêve, il suffisait à Pierre Fortin de penser aux regards que s'échangeaient depuis toujours sa mère et sa sœur pour avoir de nouveau devant les yeux le spectacle de l'amour. Amour que personne n'avait vu naître et que personne ne soupçonna ni à son origine ni même des années encore après qu'il fût éclos et qu'il se fût pourtant épanoui à la face du monde, lumineux comme un phare, provocant comme une audace.

Cet amour, on ne voulait pas le voir. Personne. Qu'en aurait-on fait une fois découvert? Où l'aurait-on rangé pour dissimuler son insolence, où l'aurait-on placé pour ne point déranger l'esthétique imposée alors au sein de la famille? Comment l'aurait-on présenté au monde afin de lui ôter son caractère, comment dire, si excessif et si singulier? Nul ne souhaitait mettre à jour un tel amour, dont il aurait fallu par là même devenir complice, c'est-à-dire, forcément, prendre le risque d'en assumer les excès, tout comme partager la

9

responsabilité de ses conséquences, ce qui était beaucoup, voire insurmontable aux yeux de presque tous, à moins qu'on ne décide de s'en libérer, de s'en détacher, et de rendre compte aussitôt de cette découverte, dans toute sa totalité, sans tricher ni mentir, sans ménager ni la fille ni la mère, ni tous ces autres qui avaient agi, volontairement ou pas, pour le protéger et le favoriser, allant jusqu'à le taire afin de ne point avoir à lui être confrontés et afin de ne pas avoir sur lui à se prononcer, mais cela aussi ne se serait fait qu'au prix de tant d'embarras, de malaises et de complications, que Pierre Fortin lui-même n'y parvint qu'au bout de nombreuses années et, précisément, au prix de cette tranquillité et de cette paix de l'esprit que chacun redoutait de perdre et que personne avant lui n'avait accepté d'engager pour en arriver là.

De la mère à la fille se vivait un amour, proche de la fusion, que nul obstacle n'avait pu ébranler, ni les crises, ni le temps, ni les rencontres, qui ne s'était jamais incliné devant quoi que ce fût, qui n'avait jamais fléchi, et surtout pas devant les hommes. Un amour que tout, bien au contraire, avait encouragé, les circonstances, la nature des êtres, les événements, plus ou moins consciemment peut-être, et, plus que tout, la famille, et parmi elle, plus que tout encore, le père.

C'était le père en effet qui avait prétendu d'emblée que lui, ce qu'il aimait, c'était les femmes, et, somme toute, cela paraissait si normal, n'est-ce pas, qu'on ne voyait pas qui aurait pu trouver quoi que ce fût à redire à cela. Comme Truffaut, il «aimait les femmes», et c'était au point qu'elles seules existaient pour lui, que le monde n'était qu'un immense terrain de chasse parcouru par des jambes gainées, des jupes en mouvement et des chaussures à talons aiguilles. C'était à elles qu'il attribuait toutes les vertus de la création, à elles qu'il accordait les qualités et les attributs célestes, à elles enfin qu'il avait choisi de se livrer corps et âme. Rien d'autre ne pouvait éveiller le moindre intérêt à ses yeux, à part de menues activités et une poignée d'autres détails qui constituaient pour lui la panoplie ordinaire de la nouvelle virilité et auxquels il avait justement recours pour se pavaner devant la source de son désir et pour tenter de séduire l'objet de ses convoitises. Ces quelques éléments qui composaient son être, tout en lui imposant des limites assez étroites, se limitaient à peu près à ceci: une carrière de jeune loup, largement fournie en mutations et promotions de tous genres, ainsi qu'en secrétaires jeunes et pulpeuses, une passion immodérée pour les siestes du dimanche après-midi sur le canapé du salon, ce qui imposait le silence à toute la maisonnée, pour les matchs de rugby à la télévision, pour le tennis sur les courts couverts et pour la musique de Jean-Christian Michel qu'il faisait résonner dans tout l'appartement, un goût inventé pour les opéras qu'il allait écouter au théâtre tout en se lamentant d'ennui à peine avait-il entendu l'air principal de la soprano, et enfin une assiduité étonnante aux parties de chasse d'automne qui duraient toute une fin de semaine et dont il revenait systématiquement bredouille ou, parfois, avec un lièvre sauvage qu'on lui avait offert par compassion et dont il faisait dégouliner le sang pendant des heures, pour en faire des terrines, après avoir éventré l'animal au-dessus de la baignoire de la salle de bains.

Le bonhomme Fortin tenait tout entier dans ces quelques attraits et habitudes. Le reste, il ne le voyait pas, il ne voyait pas les autres hommes et voyait encore moins les garçons, fussent-ils ses fils. À ces deux-là, qu'il avait déjà, il était incapable d'accorder un tant soit peu de son attention, et encore moins de ses sentiments. Le père ne cachait pas d'ailleurs à quel point cette première puis deuxième naissance masculine avaient été pour lui source de déceptions et comment très vite elles furent enfin occultées à ses yeux par l'arrivée de sa fille Évelyne, tant attendue dans la famille depuis des générations. Il aimait à expliquer combien il avait le sentiment que sa famille regorgeait de garçons depuis toujours et combien, lui et les siens, en avaient souffert et avaient espéré la venue de cette fille absente que tous appelaient de leurs vœux. Il remontait pour cela aux origines des origines, aux arrière-grands-parents, mémé Marguerite et pépé Henri, qui avaient perdu leur fille unique en bas âge et s'étaient retrouvés seuls avec deux garçons à leur grand regret; il enchaînait ensuite avec ses propres parents qui avaient tant souhaité une naissance féminine car, tous en étaient convaincus, elle seule aurait pu peut-être consoler la peine de cette disparition précoce mais, à leur tour, les grands-parents n'avaient eu que des garçons; enfin il en venait à lui-même, à ses deux premiers enfants qui avaient hélas perpétué ce cycle détestable des naissances masculines, malgré les neuvaines, les prières et les serments prononcés à voix basse, jusqu'à Évelyne enfin, comme un miracle, un cadeau du ciel, une récompense pour tant d'efforts donnés, une justice bien méritée. Dès lors, il avait décidé de faire d'Évelyne une reine, de tout lui offrir et de ne rien lui demander; nul autour d'elle ne devait jamais exister et nul surtout ne devait jamais oser venir ternir son éclat. Dans cette famille, pour mériter l'amour, il fallait être une fille, et, parmi les filles, il fallait être Évelyne.

De cet amour, Pierre Fortin se savait exclu, et cela non pas à cause de ce qu'il était ou de ce qu'il avait fait, mais à cause de ce qu'il n'était pas. Le jugement qui avait abouti à sa condamnation ne reposait nullement sur ses actes ou sur ses attitudes, on l'avait exclu par nature. Son sort dépendait d'un élément qu'il ne pouvait changer. C'était irrévocable. Aussi bon garçon aurait-il pu être à l'avenir, rien ne pourrait jamais venir effacer aux yeux de son père ni aux yeux des autres cette faute originelle qui l'avait fait naître du mauvais côté du sexe. Une telle erreur était impossible à réparer et Pierre Fortin ne voyait pas comment parvenir un jour à se la faire pardonner. Sur ce plan, il ne pouvait lutter. De son côté, le père prenait plaisir à parler haut et fort de cette préférence du sexe qui était la sienne et dont il était fier, et de son désengagement face à ses fils. Il s'obstinait à s'en vanter devant la famille et devant ses amis réunis et ne perdait jamais l'occasion de reprendre l'histoire à son début, cette fameuse histoire de la famille sans fille. Confortablement installé dans la bergère Louis-Philippe qui lui était réservée au salon et dans laquelle il trônait comme un monarque, il justifiait son point de vue interminablement et commentait les faits à sa façon pour s'assurer qu'il avait raison. Sur cette suprématie qu'il attribuait aux femmes et sur son absence d'intérêt envers les hommes et les garçons, le père était intarissable. Il s'attardait sur tout ça avec une telle éloquence et il donnait tant d'arguments qu'il avait fini par convaincre tout son entourage en peu de temps et que chacun à présent était persuadé que, dans la famille, seule sa fille unique était digne d'être aimée du véritable amour tandis que les autres, en toute logique, devaient se contenter des miettes. De cela, plus personne ne doutait désormais, ni les oncles, ni les tantes, ni les grands-parents, ni la mère, ni le frère de Pierre Fortin, ni Pierre Fortin lui-même.

Puis vint le jour où, sans doute guidé par un nouveau jupon et par son éternelle passion des femmes jeunes et pulpeuses, le père quitta tout, y compris celle qu'il avait élevée au rang de reine, laissant à la mère l'héritage et la responsabilité de cet amour institué et devenu indétrônable. Abandonnée après vingt ans de servitude maritale, accusée, critiquée et d'une certaine façon même condamnée, la mère, justement, n'allait éprouver aucune difficulté à s'approprier les traditions jusqu'alors imposées par le père, se révélant même de très bonne heure particulièrement habile à les perpétuer. Rejeter les hommes pour célébrer, à travers sa fille, le culte de la femme... voici qui lui convenait tout à fait et qui la trouvait même dans les meilleures dispositions possibles. Le père pouvait être tranquille, auprès de la jeune princesse la succession serait assurée et, il pouvait en être sûr, la mère ferait tout son possible pour respecter à la lettre et faire fructifier avec le temps les principes paternels, bien au-delà sans doute des plus grandes espérances de celui-ci. Dès lors, sur les ruines des diktats imposés par le père, un nouveau pouvoir allait être instauré et plus que jamais les femmes allaient régner sur la petite cellule Fortin abandonnée et désemparée. Désormais, d'elles seules naîtrait l'amour et à elles seules, comme il convient, il serait destiné. Désormais, encore moins que jamais auparavant, les hommes ne trouveraient le moindre crédit dans cet univers nouvellement constitué. On ne les verrait plus. Ils n'existeraient plus.

Dans les mois qui suivirent, on s'empressa de mettre Pierre Fortin et son frère en pension, sous prétexte qu'ils représentaient trop de charge et de tension, et chacun dans la famille, de peur de se voir imputer de nouveaux reproches ou de nouvelles responsabilités, chacun se tut sur ce pieux mensonge, acceptant les nouvelles règles dictées par la mère, et s'empressant même, avec elle, de louer le bonheur, la félicité, que devait être au quotidien la présence douce et rassurante d'Évelyne, véritable baume, n'est-ce pas, sur les plaies du drame conjugal. Ainsi, condamnés sans procès, comme des renégats de la pire espèce, des coupables notoires, ainsi partirent les garçons, et sur cette exclusion injuste et injustifiée se construisit, rond et fermé comme un œuf, le monde d'Évelyne et de sa mère. Comme des amants coupables qui, après avoir tué le mari ou l'épouse légitime, font le vide autour d'eux pour ne plus avoir sous leurs yeux les traces accusatrices de leur délit ou les témoins muets de leur crime, Évelyne et sa mère fusionnèrent et coupèrent les ponts avec le reste du monde. Du jour au lendemain, elles décidèrent de ne vivre que pour elles seules, autosuffisantes et comblées, convaincues de la justesse et de la pertinence de leur choix, cloîtrées, comme des religieuses, dans leur espace si spécifiquement féminin.

Le frère de Pierre Fortin avait été mis en pension assez loin du domicile de la mère pour qu'il ne revienne jamais. Pas question de petites échappées qui risqueraient de le ramener au cœur de la complicité d'Évelyne et de sa mère, éléphant dans un magasin de porcelaine, brisant tout au moindre mouvement. Quant au père, il avait d'abord déménagé dans la rue même qu'habitaient sa femme et ses enfants, espérant ainsi préserver des liens qui n'existaient déjà plus, mais après quelques mois d'un voisinage pénible, il avait fini par plier bagage pour s'installer dans le Sud et c'est donc également dans le Sud qu'on avait choisi de trouver un collège pour le frère aîné. De ce collège, le jeune garçon ne sortait que trois fois par an, à Noël, à Pâques et au début de l'été, et c'était pour filer aussitôt chez son père. Que le frère aîné se coupe ainsi de sa mère et que le père se retrouve par la même occasion plus ou moins tacitement responsable de ce fils, tout cela avait fini par paraître logique à l'ensemble de la famille et chacun avait accepté cette répartition des charges comme un fait qui s'imposerait de lui-même, une évidence qui tomberait sous le sens. Personne alors ne s'était véritablement soucié du fait, si négligeable aux yeux de tous, que le père et le frère aîné se situaient exactement aux deux points les plus catégoriquement opposés qui soient sur le plan du caractère et de la personnalité. L'intérêt d'Évelyne, la tranquillité de sa vie recluse avec sa mère étaient en cause et c'étaient là les seuls enjeux qu'il convenait de considérer. Dès lors, le frère aîné fut happé dans un engrenage de solitude et de révolte, de construction et de déconstruction qui ne lui laisserait plus aucun repos et qui allait le broyer méthodiquement, étape après étape, plus sûrement encore que les machines les plus acérées ou que les complots les mieux organisés. Entre les mains du père, le frère aîné passait les pires vacances possibles. Prisonnier d'un immense filet qui gênait ses mouvements et enserrait son corps, il se débattait face à une incompréhension profonde et, malgré ses efforts, il ne parvenait jamais à se glisser tout à fait à travers les mailles du piège qui lui était tendu. Inéluctablement, chacun de ses séjours se transformait en une succession infernale de querelles et de malentendus qui tous étaient suivis de répressions féroces et de luttes à n'en plus finir. L'atmosphère était empoisonnée. Le frère aîné perdait sur tous les fronts et, échec après échec, il tombait chaque fois un peu plus au fond dans le gouffre de l'angoisse, de la réclusion et du désespoir.

Pour échapper à son père, le frère aîné se dépêchait, dès qu'il le pouvait, de retourner au collège où sa situation pourtant n'était guère plus reluisante. Sans soutien, sans conseil, se sentant perdu et abandonné, il faisait face tout seul à mille difficultés d'apprentissage et vivait là-bas avec la peur collée au ventre. La peur était devenue pour lui un réflexe autant qu'une compagnie et, à ce titre, elle était également son seul refuge. Il avait peur tout le temps, de tout, du père quand il se manifestait, de ses résultats scolaires qu'il était toujours si délicat de révéler lorsqu'ils étaient mauvais, des professeurs, des surveillants et peur aussi des autres pensionnaires. Son trouble avait atteint une telle ampleur qu'il en perdait fréquemment ses moyens et qu'il lui arrivait d'avoir ce qu'on appelait pudiquement là-bas des «fuites d'intestin», enfin bref, malgré son âge, il n'était toujours pas propre. À la moindre occasion, avec un naturel déconcertant, le frère aîné se répandait dans ses sous-vêtements et se soulageait sans retenue, quel que soit le lieu où il se trouvait, traînant ensuite avec lui une odeur fécale qui avait fini par imprégner non seulement ses vêtements, mais aussi tout ce qui l'entourait, ses affaires, ses meubles. Malgré cette sorte d'indifférence avec laquelle il semblait accueillir le phénomène, malgré cet air tranquille qu'il avait appris à se composer pour masquer sa gêne, de cela le frère aîné avait honte et, à cause de cette honte, il ne pensait qu'à dissimuler les conséquences de ses égarements. Comme il lui était impossible de laver ou de faire nettoyer les sous-vêtements qu'il avait souillés, dès qu'il en avait l'occasion, il s'en saisissait pour les éloigner de sa vie et pour mettre de la distance entre lui et les traces de sa responsabilité. Ainsi, en permanence, trouvait-on des slips sales sur son passage, jusque dans les coins les plus insoupçonnés, les plus invraisemblables. Il avait pris l'habitude de les cacher un peu partout, tant bien que mal, au gré de sa fantaisie et d'une ingéniosité plus ou moins inspirée, selon les jours et les circonstances, si bien qu'il fallait toujours s'attendre à faire une découverte, au hasard, dans sa chambre, lorsqu'on ouvrait un placard, une boîte quelconque, ou lorsqu'on soulevait un livre ou déplaçait un objet. À tout instant, on le savait, on pouvait tomber sur une petite boule de coton blanc méthodiquement repliée sur une croûte brune que le temps avait fini par dessécher. Tiraillé entre la honte et les railleries que lui valait son comportement, hanté par la peur des représailles et des corrections, le frère aîné s'était rapidement retrouvé retranché du cours normal des choses. Source de moqueries incessantes, il était affublé des pires surnoms et s'était finalement retrouvé confronté à une seule alternative: remonter la pente pour rejoindre le gros du troupeau de ses camarades ou se laisser aller à descendre encore pour s'éloigner et suivre son propre chemin. Au bout du compte, c'était cette seconde solution qu'il avait retenue. Il avait adopté une vie de reclus, concentré sur la lecture et sur les études, creusant ainsi chaque jour un peu plus ce fossé qui le séparait du reste du monde. Ainsi se trouva-t-il victime d'un cycle infernal. On ne l'aimait pas parce qu'il sentait mauvais, et il continuait à sentir mauvais parce que, de toute façon, on ne l'aimait pas.

Pendant ces quelques mois où l'avenir de chacun se dessinait à gros traits, les décisions et les arrangements se succédaient à un rythme précipité et leur pertinence n'était jamais réellement considérée, encore moins remise en cause. Les situations surgissaient d'un coup, comme des évidences, édictées par une loi tacite, et le simple constat de leur existence semblait suffire chaque fois à les légitimer. «Cela est bon puisque cela existe.» Ainsi, en plus de l'appartement, des meubles, des voitures et de la maison de campagne, les enfants avaient été répartis en parts égales, et cela s'était effectué dans le silence et les sous-entendus, tout comme se font les jeux politiques et les passations de pouvoir, au gré des affinités des uns et des autres, mais aussi en fonction des circonstances, c'est-à-dire, dans une large mesure, en fonction du hasard et des *a priori*. On voulait bien penser à faire le bonheur de certains, à les accommoder et à agir au mieux de leur intérêt, mais de là à faire le bonheur de tout le monde, c'était beaucoup demander, et c'était trop. La situation avait voulu que le frère aîné appartienne à son père, tandis qu'Évelyne appartenait à sa mère. La situation voulait sa part de sacrifice. On pouvait compter sur elle; il y en aurait. Quant à Pierre Fortin, il n'appartenait à personne en particulier ou, plus précisément, il appartenait aux deux à la fois qui se le renvoyaient selon les cas et les besoins, avec une égale

17

indifférence, chacun son tour, comme on se partage un piètre butin, sans passion ni jalousie.

En fonction de ce statut particulier, les directives entourant l'éducation de Pierre Fortin étaient souvent floues et ne provenaient jamais d'origines très précisément établies. Il était gouverné à l'aveuglette et, à travers ces hésitations, il avait fini par comprendre que, dans le fond, on ne savait pas trop quoi faire de lui. À l'inverse de son frère, il avait été placé dans une pension située seulement à quelques kilomètres du domicile de la mère, et il en sortait une fois par semaine, ce que la mère trouvait déjà beaucoup et largement suffisant. Celle-ci, en effet, n'aimait pas le savoir trop près et, plus que tout, elle redoutait que cette proximité relative lui soit un prétexte pour exiger de mettre fin à son pensionnat et pour obtenir un jour de rentrer tous les soirs à la maison. En son for intérieur, la mère aurait préféré pour Pierre Fortin un pensionnat d'où il ne serait sorti que trois fois par an, pour les grandes occasions, tout comme Pascal, le frère aîné. Cela n'advint pas.

Tous les lundis matin, Pierre Fortin quittait le domicile de la mère pour se rendre au pensionnat en transport en commun, car il n'était pas question que quiconque se dérangeât pour l'accompagner. L'arrivée au collège était toujours un supplice et, même au bout de nombreuses années, Pierre Fortin ne réussit jamais à franchir les hautes grilles qui ceinturaient l'établissement sans éprouver un serrement de cœur qui lui tournait les sens. «Ce n'est pas vrai, pensait-il, ce n'est pas vrai que ma vie doive se limiter à cet univers terne et austère quand les autres peuvent explorer tous les horizons que leur esprit les incite à découvrir, au hasard de leur curiosité et de leurs fantaisies.» Il avait l'impression que c'étaient les portes d'un véritable pénitencier qui se refermaient sur lui. Des portes si étanches que, des années plus tard, au moment d'échapper enfin à cette institution claustrale, il se rendrait compte alors qu'il ne connaissait qu'une infime partie de ce que les autres jeunes savaient et de ce qui constituait pourtant ce qu'on pourrait appeler «son époque». Il ne savait rien des musiques qui jouaient, rien des groupes qui se faisaient et se défaisaient, rien des compétitions sportives qui se disputaient, des prix littéraires, des événements de la scène, des festivals de cinéma, rien de la vie politique ni des alliances et des ruptures dans le monde des personnalités nationales et internationales, rien des modes vestimentaires ni des faits divers qui bouleversaient pourtant l'opinion publique, rien n'avait percé à l'intérieur du collège. Sur aucun tableau, grave ou badin, important ou secondaire, il n'avait été correctement informé. Les faits extérieurs se heurtaient contre les fortifications du collège comme les vagues à marée haute contre les falaises de calcaire.

Sans qu'il puisse clairement décortiquer à l'époque d'où venait son malaise, sans qu'il puisse faire une description précise de ses origines et de ses conséquences, et sans même pouvoir en énoncer tous les aspects, Pierre Fortin ressentait le poids de cette réclusion, de cet enfermement de l'esprit et du corps, comme une anomalie qu'on lui imposait, comme une différence supplémentaire qui lui était réservée et dont il ne voulait pas. Ainsi, pendant chacun des trajets pour se rendre au collège, plus son train approchait de sa gare de destination, plus il se sentait une proie offerte en sacrifice pour une cause qu'il ignorait. Son sentiment ensuite ne le quittait plus de la semaine. Solitaire et résigné, il se voyait franchir toutes les étapes de son calvaire comme les premiers chrétiens qui marchaient tête haute vers leur supplice. Tout était réglé par avance. Le train ralentissait et les freins qui enserraient les roues rendaient un son épouvantable que Pierre Fortin chargeait des pires prémonitions. C'était la seule station, pensait-il, où le convoi s'arrêtait dans une telle torture de métal, de pistons et de rails. Ailleurs, il en était sûr, les wagons glissaient chaque fois lentement après une douce décélération, jusqu'à s'immobiliser tout à fait dans une sorte d'impatience joyeuse. En gare d'Athis-Mons, il en allait tout autrement. Les quais étaient sales. Le ciel était toujours couvert et il pleuvait sans cesse à longueur de semaine. Pierre Fortin était persuadé qu'un groupe de nuages avaient élu domicile au-dessus de ce bout du monde et qu'ils n'en bougeaient jamais, bloqués par les vent d'ouest, noircissant l'horizon et chargeant l'air d'humidité d'un bout à l'autre de l'année.

À peine Pierre Fortin était-il descendu du train qu'il levait les yeux vers le ciel à la recherche de la lumière. Chaque fois, le plafond nuageux était bas et l'espace demeurait vide. Il insistait un peu, fouillait les ombres du regard et, invariablement, l'oiseau noir surgissait du néant et commençait à tourner en rond au-dessus de lui en déployant ses ailes. C'était le messager de ses angoisses. Il était énorme et Pierre Fortin avait beau essayer de se déguiser ou de se dissimuler, il avait beau user de mille ruses pour lui échapper, l'oiseau noir le reconnaissait toujours. Au début, il se faisait distant, comme une menace sourde qui aime à rester diffuse pour mieux tourmenter, puis il descendait lentement, de plus en plus près et de plus en plus précis, en cercles répétés, au fur et à mesure que Pierre Fortin marchait vers le collège. Enfin, au moment de franchir les grilles, l'oiseau noir piquait d'un coup, comme un rapace, en poussant des cris affreux. Le choc était intense et violent. Pierre Fortin sentait les serres acérées de l'animal qui transperçaient ses épaules. Une douleur claire et vive s'emparait de tout son corps à l'instant même où la silhouette des bâtiments scolaires se découpait tout à fait devant lui. La masse de l'oiseau se faisait alors de plus en plus pesante. Pierre Fortin se sentait plaqué contre le sol par un poids terrible, un poids qui l'empêchait de respirer et anesthésiait sa volonté, et c'est couvert de ce parasite qui se nourrissait à même ses énergies et ses espoirs, qui lui ôtait toute envie de vivre ou de se battre, c'est couvert de cette bête immonde qui le dégoûtait et qui refusait de le lâcher, que Pierre Fortin faisait chaque semaine son entrée dans la salle de classe.

Au pensionnat, le temps ne passait pas. Les courtes pauses que constituaient les fins de semaine filaient à toute allure tandis que les cinq jours d'école semblaient une éternité. Pierre Fortin s'en plaignait sans cesse et, pour lui montrer que la semaine de pensionnat n'était pas aussi longue qu'elle en avait l'air, et même qu'elle était plutôt courte, la mère avait inventé une façon bien à elle de décompter les jours. Elle avait un véritable don pour renverser le cours des choses et leur faire prendre le tour qui lui convenait le mieux. Ainsi, à ses yeux, le lundi ne comptait pas parce qu'il était le premier jour et que, le premier jour, c'est comme un jour normal; le mardi ne comptait pas non plus parce qu'il était à peine le lendemain du premier jour et que Pierre Fortin était quand même capable de tenir jusque-là, n'est-ce pas; le mercredi était une bonne journée puisqu'on était déjà au milieu de la semaine et qu'on y était vite arrivé; le jeudi il fallait se réjouir car on était à la veille du départ; quant au vendredi, on n'en parlait même pas puisqu'il était précisément le jour de la sortie. Ce petit refrain, cette belle ritournelle qu'elle aimait répéter, c'était son moyen à elle de le faire taire, de le rendre coupable, de le présenter comme trop faible, trop perturbé, trop sensible... «Allons donc, mon p'tit gars, il faut être plus solide que ça...» devinait Pierre Fortin derrière ses propos. Pourtant les faits étaient là: prises séparément, les cinq journées ne comptaient peut-être pour rien, mais mises bout à bout elles comptaient toujours cinq journées, c'est-à-dire treize repas collectifs au réfectoire à se partager une mauvaise nourriture, c'est-à-dire quatre soirs interminables dans la salle d'étude à lire *La Vie du rail* ou *L'Avant-scène* du théâtre et de l'opéra, les seules revues auxquelles les directeurs de conscience acceptaient que le collège soit abonné, c'est-à-dire quatre nuits d'affilée à grelotter et à mal dormir, quatre réveils au petit matin aux cris de «Sautez du lit! Sautez du lit!» et quatre jours sans douche et lavé à l'eau froide, et c'est-à-dire enfin une bonne centaine d'heures de solitude et de lutte, à désespérer d'être là et à jalouser sans cesse les autres, ceux du même âge, qui étaient ailleurs et qui étaient traités autrement. Comme il fallait être la mère pour être capable de voir les choses ainsi et de manifester cette volonté désarmante de réduire une vie naissante à un simple décompte de calendrier, dépourvu de toute émotion et réduisant à néant les épreuves et les angoisses inhérentes à cet âge adolescent, et combien tout cela paraissait différent aux yeux de Pierre Fortin.

En l'absence des deux fils, la fusion entre Évelyne et sa mère avait pu enfin atteindre son paroxysme et toutes deux vivaient ainsi dans une félicité totale. Plus une ombre désormais ne venait entacher ce tableau qu'elles peignaient ensemble, au quotidien, à leur propre intention. Plus un seul regard extérieur ne pénétrait leur intimité pour se poser avec insolence sur leurs faits et gestes. Enfin elles n'avaient plus d'approbation ou de désapprobation à quêter, plus d'avis à entendre ou à solliciter, et plus rien, plus rien surtout de masculin, n'avait l'audace de venir se mêler de la pertinence des nouvelles lois qui s'étaient établies entre elles et qui régissaient leur relation. Ce qu'il advenait à longueur de semaine, alors qu'aucune présence extérieure ne pénétrait l'intimité de la mère et de la fille, nul ne le sut jamais et nul ne chercha à le savoir. Elles ne recevaient personne à leur table, le téléphone ne sonnait pas, elles n'écrivaient pas et restaient constamment ensemble, muettes, comme toujours entre elles, nourries de ces seules convictions intimes qu'elles partageaient sur les hommes, sur la vie et sur ce que serait leur destin, convictions qu'elles échangeaient et partageaient d'un simple regard et que nulle occasion jamais ne vint remettre en cause. Elles étaient seules sans même s'en rendre compte et ne souhaitaient rien d'autre pour l'avenir que de continuer à être ainsi, s'imprégnant jour après jour l'une de l'autre, dans les moindres détails, jusqu'à parvenir lentement à acquérir ce mimétisme, stupéfiant et quasiment gênant, qu'on ne manquait pas de constater dès qu'on était placé en leur présence. C'est dans cet enfermement, proche de la folie, que s'était construit et développé leur amour, un amour indicible, sans bornes, sans références et sans structure, et c'est à cet amour, aux différentes étapes qui le faisaient s'accroître au fur et à mesure qu'elles se coupaient du monde et de tout autre repère extérieur, c'est à cet amour qu'était confronté Pierre Fortin chaque fin de semaine lorsqu'il rentrait. Spectateur étranger, il en demeurait le témoin silencieux pendant les deux jours de sa présence tandis que, parallèlement, il essayait tant bien que mal de devenir le garçon qu'on lui refusait d'être.

Semaine après semaine, le retour du fils second n'était jamais souhaité par Évelyne ou par sa mère, jamais attendu. À la limite, la mère et la fille oubliaient jusqu'à l'existence de Pierre Fortin lorsqu'il était absent. Il n'occupait aucune place dans leur vie, pas même en pensée, et le simple fait de sonner à la porte lorsqu'il revenait constituait à lui seul une perturbation importante dans leur équilibre, perturbation que, déjà, elles ne pardonnaient pas. Cette sonnerie, sans doute la première manifestation de l'extérieur depuis plusieurs jours et peut-être même la seule de toute une semaine, venait secouer la torpeur de leur quotidien avec une insolence et une régularité qui la rendaient aussi haïssable que tous ces petits signes qu'on décide de classer un jour dans les manifestations de mauvais augure et qu'on se met à craindre à jamais comme les pires présages. Évelyne ouvrait la porte et scrutait Pierre Fortin des pieds à la tête, lentement, comme si elle n'était pas sûre de le reconnaître, enfin, dans une sorte de sursaut, elle disait alors d'une voix sans intonation: «Ah, c'est vrai, c'est vendredi», puis, très vite, elle quittait la porte sans un bonjour et sans un mot de bienvenue.

Conformément à son statut, Évelyne jouissait d'une éducation haut de gamme. Elle ne portait que des vêtements de grandes marques, il lui fallait sans cesse les meilleurs cours privés pour qu'elle rattrape le retard qu'elle prenait régulièrement à l'école, ses moindres désirs étaient systématiquement exaucés et elle connut très tôt, et aussi souvent qu'elle le voulut, les plaisirs des vacances au ski ou au bord de la mer. Au moindre problème, à la moindre alerte, sa mère lui offrait des consultations chez les spécialistes les plus réputés du moment, elle lui payait les plus grands coiffeurs pour ses cheveux blonds qui ne devaient surtout pas foncer, car une jeune fille dont les cheveux blonds perdaient leur blondeur n'était déjà plus la même jeune fille. Elle consultait les plus grands diététiciens pour ses kilos en trop, recevait les soins des manucures les plus raffinées pour ses petites mains potelées aux doigts roses et s'entraînait dans les clubs de gymnastique les plus sélectifs pour garder la forme. Il va sans dire que tout cela coûtait cher et qu'il n'était guère question d'offrir à Pierre Fortin le luxe qu'on réservait à sa prestigieuse jeune sœur. Pour faire face à ces frais, la mère recevait du père une double pension alimentaire qui devait normalement subvenir aux besoins des deux enfants mais qui, le plus souvent, couvrait à peine les dépenses occasionnées par Évelyne à elle seule. Dès lors, s'il arrivait que Pierre Fortin exprime à son tour quelque requête ou quelque nécessité, la mère lui répondait froidement qu'elle n'avait plus rien pour lui, que le père n'envoyait pas assez pour deux et que Pierre Fortin devrait attendre le mois prochain. Elle ajoutait que ce n'était pas sa faute à elle si le père était radin et que, si le fils voulait vraiment ce qu'il venait de demander, s'il en avait vraiment besoin, il n'avait qu'à écrire au père pour solliciter plus d'argent. Pour l'heure, il n'en restait plus. Elle disait également que s'il n'écrivait pas, s'il ne demandait pas l'argent au père, ce serait la preuve qu'il n'avait pas véritablement besoin de ce qu'il avait demandé, la preuve qu'il faisait exprès d'avoir des exigences juste pour la contrarier, elle, pour lui poser des problèmes, parce qu'il était jaloux d'Évelyne. Enfin, invariablement, elle concluait en disant qu'elle voyait clair dans son jeu et qu'elle ne le laisserait pas faire, ah ça non, qu'elle ne le laisserait pas leur «emmerder la vie», c'est-à-dire leur vie à toutes les deux, et qu'elle finirait bien par l'avoir, lui et son arrogance. Et c'était ainsi chaque mois, chaque mois d'année en année, quand il était question d'argent. La mère et le fils en arrivaient toujours aux mêmes questions et aux mêmes réponses, aux mêmes menaces et aux mêmes révoltes.

Évelyne, quant à elle, ne voulait rien entendre de telles considérations. Sa vie se situait déjà un niveau au-dessus de celle du simple mortel. Indifférente et fière, elle se sentait souverainement étrangère à de si pauvres débats, misérables et indignes d'elle, et elle gardait la tête haute en toute occasion.

Puis vint le temps d'être trop grand pour. Trop grand pour les menaces. Trop grand pour endurer encore. Pierre Fortin avait réussi ses examens et, diplôme en poche, il voyait s'éloigner le collège et le pensionnat tandis que l'université se profilait déjà à l'horizon. À dix-sept ans, Pierre Fortin changeait radicalement de décor et quittait la domination maternelle pour assurer seul la gouverne de sa vie. C'était lui désormais, lui enfin, qui tiendrait les rênes de sa destinée, et intérieurement il se jurait bien que ses dix-sept prochaines années seraient tout le contraire des dix-sept premières qu'il venait de subir. Il songeait avec effroi qu'à ce rythme-là il lui faudrait attendre ses trente-quatre ans avant de pouvoir dire que sa vie comptait au moins cinquante pour cent d'années heureuses. Cinquante pour cent! C'était peu. Et encore, c'était à condition que tout aille bien, mais il était optimiste. Il croyait dans sa bonne étoile parce qu'il était enfin libre, libre de prendre sa vie en mains. Peu à peu, il apprit à marquer ses distances face à la mère et face à la fille de la mère, ne les voyant qu'à l'occasion des grandes nécessités. Puis la mère parvint à l'âge de la retraite et se retira dans sa maison de campagne, au bord de la mer. Il fallait désormais traverser presque tout le pays pour aller à sa rencontre car elle, bien entendu, ne se déplaçait pas. La maison de campagne, celle qu'on avait toujours appelée la maison de campagne, était finalement devenue son domicile à elle, son domicile permanent. Là se succédaient les visites des trois enfants, parfois ensemble et parfois séparés.

À cette époque, Pierre Fortin écrivait des textes pour les revues et pour les journaux, il travaillait pour la radio et faisait un peu de télévision. De tout cela, lorsqu'il allait chez la mère, il faisait un compte rendu fidèle, expliquant les choses dans le détail et dévoilant les multiples méandres de ce monde auquel elle n'avait pas eu accès, dont elle ignorait tout, et qui, pensait-il, susciterait peut-être sa curiosité et, même, pourquoi pas, sa fierté; car cela existait, Pierre Fortin le savait, l'avait déjà observé chez d'autres, l'avait déjà constaté, envieux, fasciné et rongé de jalousie, l'avait déjà reconnu entre certaines mères et certains enfants. Pourquoi donc cela n'aurait-il pas pu exister chez elle? Mais non. Cela eût été trop simple, trop «normal», c'était s'imaginer que la mère, rien qu'une fois, eût été capable de calquer son comportement sur celui des autres mères, qu'elle eût pu «ressembler», se conformer, qu'elle eût pu accéder à un certain niveau de complicité avec son fils, à un partage, à une émotion, dont probablement elle ne soupçonnait ni l'éventualité ni même la possible intensité. À ses yeux, un tel sentiment devait s'avérer de la fiction pure, sans doute, quelque chose d'inconnu qu'il lui restait à inventer de toutes pièces dans de telles circonstances, ce qui bien sûr allait bien au-delà de ses intentions. Dans les faits, donc, tout cela lui était totalement étranger et relevait tout à la fois d'une sorte d'impossibilité pour la mère et d'une sorte de fantasme pour le fils, car tout cela, finalement, relevait du domaine de l'amour, d'un amour éventuel de la mère pour le fils, et à cet amour, à cette sorte d'amour, elle n'avait tout simplement pas accès, ne l'avait jamais eu, et ne l'aurait jamais.

Poliment, la mère écoutait Pierre Fortin jusqu'au bout, sans jamais l'interrompre, sans jamais poser la moindre question. Combien pourtant aurait-il aimé que cela se produise! Mais elle ne manifestait rien, pas le plus petit signe d'intérêt, de réprobation ou d'étonnement, pas même d'approbation. Discrète et effacée, elle l'écoutait tranquillement avec ce tout petit rien d'impatience et de retenue que savent manifester les femmes du monde, savant dosage de lassitude, de respect et d'indifférence. Son attitude semblait tout entière directement copiée sur la lauréate d'un concours d'élégance ou sur les poses figées d'une leçon de maintien. Elle écoutait ainsi, avec une désinvolture déconcertante. Son regard restait vide et ses yeux d'emblée portaient au-delà de ce qu'on lui racontait. À d'autres petits signes de ce genre, mais si petits justement qu'ils se laissaient à peine deviner, on finissait très vite par se rendre compte, et le fils était un expert en cela, qu'il n'était pas nécessaire de s'attarder plus longuement. Elle n'entendait pas. Son esprit était ailleurs. Son attention restait accrochée à mille autres choses et papillonnait parmi de vieux souvenirs auxquels personne n'avait accès. Sans s'en rendre compte, la mère avait un don merveilleux pour signifier à tous et sans même ouvrir la bouche qu'il était temps de se taire et qu'elle en avait assez entendu. «Cher ami, disaient ses lèvres closes, à quoi bon continuer, vous n'êtes plus écouté!» Déjà son attitude se métamorphosait du tout au tout. Le masque de cire ne résistait plus, les jambes croisées étaient prises d'un tremblement nerveux, puis, avec le temps, la pose tout entière commençait à s'effriter. En un instant, elle apparaissait en pleine lumière, sans fard, et son visage enfin affichait la profondeur de son agacement, d'autant plus saillant à présent qu'elle avait trop tenté de le contenir auparavant. Elle saisissait alors le premier silence, la moindre interruption, pour passer aussitôt à autre chose. Elle se levait, disparaissait avec des gestes affolés qui voulaient signifier qu'elle avait tant de choses à faire et qu'elle ne pouvait demeurer inactive plus longtemps. Elle prenait des airs songeurs pour essayer de convaincre Pierre Fortin qu'elle l'avait écouté avec passion et qu'elle allait maintenant réfléchir profondément à tout ce qu'il lui avait dit. Mais il n'en était rien. Tout son être s'employait seulement à fuir de mille manières des propos qui lui semblaient durer depuis une éternité alors qu'ils venaient à peine de commencer. Elle n'en avait rien retenu. Silhouette de cinéma, elle avait joué son rôle sans rien investir d'elle-même, et elle s'en retournait déjà, accaparée par les feux de ses véritables préoccupations.

Évelyne, en revanche, ne connaissait jamais pareille humiliation. Il suffisait qu'elle paraisse, à n'importe quel moment, et qu'elle jette à la ronde qu'elle venait de gagner un quelconque tournoi de tennis, qui était organisé, comme ça, de façon informelle, sur les courts près de la plage, et qu'elle avait disputé avec quelques amis, pour meubler son temps, et la mère surgissait aussitôt, transportée de bonheur, fascinée, les yeux écarquillés d'admiration, posant mille et une questions, saisissant sa fille au passage, la touchant avec respect du bout des doigts comme pour vérifier qu'elle existait bel et bien, et traitant la nouvelle comme s'il s'agissait de l'événement le plus extraordinaire de la saison, d'un tournoi de tennis international et réputé, comme si Évelyne allait faire la une de tous les journaux, devenir vedette de la radio et de la télévision, comme si tous les journalistes et la presse allaient débarquer d'un instant à l'autre à la maison, comme si elle les entendait déjà se ruer sur les grilles au-delà du jardin. Elle était à ce point emportée par son enthousiasme, et ivre de considération, qu'elle allait jusqu'à demander s'il y aurait une coupe, une remise des prix et un podium sur lequel sa fille exhiberait sa gloire et son mérite devant une foule complice, venue l'acclamer et la féliciter. Elle se voyait déjà mener les troupes en délire, organisatrice folle et fière, emportée dans un tourbillon d'adoration. Et il en était toujours ainsi. Lorsqu'il s'agissait d'Évelyne, le sens des réalités lui échappait complètement.

Pierre Fortin assistait, impassible et consterné, à ces emportements et à ces scènes de déification. Il constatait que, finalement, rien n'était très nouveau dans tout ça et, même, qu'il en était ainsi depuis des lustres. Il se souvenait en effet que lorsqu'ils étaient plus jeunes déjà, quand Évelyne et lui chantaient dans les réunions de famille, c'était d'Évelyne qu'on aimait dire qu'elle avait «une voix merveilleuse», non pas qu'il ait une mauvaise voix, mais c'était tellement plus facile pour eux tous de se laisser aller à ne voir et à n'entendre que l'éternel objet de leur admiration et de leur fascination, et c'était tellement plus facile également de prétendre que Pierre Fortin avait une «voix de crécelle» qui leur crevait les tympans. De même, lorsqu'ils faisaient des numéros de trapèze et d'acrobatie sur le portique, l'été, en arrière de l'autre maison, celle à la montagne, de même c'était encore Évelyne qui, à leurs yeux, incarnait la grâce, l'agilité, la souplesse, tandis que lui passait tellement inaperçu qu'on aurait pu le croire transparent. De même enfin, lorsque tous deux, les enfants, paraissaient sur une même photo, c'était encore Évelyne qu'on disait si rayonnante, si éclatante de beauté, de fraîcheur, d'intelligence, alors que pas un n'avait de regard ou de mot à son intention à lui et qu'on allait même jusqu'à prétendre qu'il ternissait la photo et que celle-ci gagnerait probablement en harmonie et en élégance si l'on coupait la partie sur laquelle il apparaissait.

Non, vraiment, il n'y avait rien de bien nouveau dans tout cela, si ce n'est que Pierre Fortin venait juste de prendre conscience de certaines choses. Les pièces du *puzzle*, qu'il avait toujours conservées éparses et sans signification dans sa mémoire, s'assemblaient brusquement pour former un vaste ensemble, un tout cohérent dont le message était clair à présent. Tout ce qui était resté flou, à l'état latent, pendant des années, apparaissait maintenant à ses yeux comme une évidence et il parvenait enfin à formuler ce sur quoi pendant si longtemps il avait buté. Refusant l'image dans le tapis, il s'était obstiné à ne voir que des taches de couleur éparpillées dans les poils de la laine. Incapable de mettre des mots sur des comportements, incapable de donner un sens à ce qui se produisait, pour ne pas souffrir sans doute, il avait volontairement obscurci son esprit, endormi sa clairvoyance et amoindri ses sens. Il avait vécu toutes ces années avec une éclipse de soleil permanente devant les yeux. Mais les astres, tout à coup, se dégageaient l'un de l'autre. Une pleine lumière se répandait à présent autour de lui et l'aveuglait cruellement. Un nouvel éclairage tombait sur ses jours et brûlait profondément ses rétines devenues sensibles. Il voulait se protéger, fermer les paupières et se couvrir le visage de ses mains pour que tout redevienne opaque comme auparavant, mais il était trop tard. Une seconde de lucidité et le constat s'était imposé dans toute son ampleur, de façon si soudaine, si catastrophique et si douloureuse aussi, qu'il s'agissait maintenant de trouver au plus tôt un moyen de se soustraire à la source de ces maux. Il s'agissait de mettre un terme de toute urgence à une situation que Pierre Fortin percevait désormais comme insoutenable. Maintenant qu'il en avait fait le tour et qu'il la mesurait tout entière, immense et pitoyable, il s'agissait de se l'arracher du corps comme une tumeur qu'il convient de s'ôter aussitôt circonscrite, de peur qu'elle ne dégénère plus encore. Ainsi Pierre Fortin décida-t-il de ne plus jamais paraître devant la mère et la fille en même temps, de ne plus jamais s'exposer à ce spectacle de l'amour inégal et disproportionné, au spectacle de l'amour mal réparti et sans partage, de ne plus jamais se donner l'occasion de comparer ce brasier incandescent, fougueux et lumineux, cette véritable ébullition qui explosait en mille flammes rougeoyantes dans les yeux de la mère lorsqu'elle regardait Évelyne, à cette petite lueur sèche, terne et toussotante, que le plus léger souffle risquait d'éteindre à tout instant et qui s'allumait si difficilement, et de plus si rarement, au fond, tout au fond, des prunelles de cette même mère, lorsqu'elle le regardait, lui. Non, il n'était plus question de s'exposer ne serait-ce qu'une fois encore à ce spectacle. Cette humiliation-là, il ne voulait plus jamais l'endurer. Désormais, c'était un décret, Pierre Fortin se rendrait toujours seul au domicile de la mère, calculant les dates et la durée de ses séjours en fonction des allées et venues d'Évelyne, et seul, là-bas, il séjournerait avec sa mère, s'enfuyant comme un voleur dès que sa jeune sœur annoncerait sa visite.

Ce fut justement pendant un de ces séjours en solitaire chez la mère, des années plus tard, que Pierre Fortin éprouva de nouveau le besoin d'en finir avec cette souffrance et notamment avec une question qui l'obsédait plus que tout. Il s'approcha d'elle qui avait toujours ce regard mort quand elle tournait son visage vers lui et il dit: «Je voudrais savoir.» Il dit: «Je voudrais vous l'entendre dire», et comme la mère demandait de quoi il parlait, il se tut un instant, puis reprit comme s'il revenait en arrière: «Je sais que vous n'avez aimé qu'elle», dit-il. «Je le sais. Je l'accepte et je le comprends.» Pierre Fortin dit qu'il y avait des raisons à cela, qu'on pouvait l'expliquer et même que, d'une certaine façon, on n'y pouvait rien, ni lui, ni elle, ni les autres. Il dit: «Je voudrais juste qu'un jour vous le reconnaissiez.» Il dit: «Simplement, pour une fois. Que vous reconnaissiez que vous ne nous avez pas aimés, nous vos garçons, et pas aimé non plus notre père, peut-être aussi. Que vous reconnaissiez que vous n'avez aimé qu'elle, Évelyne.» Pierre Fortin dit: «Simplement, une fois. Que je l'entende.» Puis il ajouta: «Vous êtes vieille. Vous allez mourir.

Maintenant, vous avez le droit de le dire. Que tout votre amour était pour elle. Vous avez le droit.» Il dit aussi: «Aujourd'hui, personne ne vous reprochera rien. Rien.» Il dit qu'il existe un droit sacré de l'amour, d'aimer qui et comme on veut, qu'il n'y a rien à redire à cela, mais il dit aussi qu'il existe une nécessité de reconnaître l'amour, et aussi l'absence d'amour, que c'est nécessaire pour les gens, pour ceux qui sont aimés et pour ceux qui ne le sont pas. Il dit: «C'est juste pour savoir que je ne suis pas fou, pour être sûr, pour savoir que je n'ai pas rêvé.» Il dit: «Pas tout rêvé.» Et enfin, il dit: «Dites-le.» Alors, la mère ouvrit la bouche, elle avait tout écouté sans émotion et sans émotion elle répondit: «Tous les trois pareil. Je vous ai aimés tous les trois pareil, mes trois enfants.» Alors Pierre Fortin se mit à hurler. Il se dresse. Il crie. Il est dans une colère folle. Contre la mère. Contre son aveuglement. Son obstination à tout taire, à tout dissimuler, qu'il dit être pire que tout le reste. Son incapacité à avouer, à reconnaître les choses. Pierre Fortin dit: «Vous êtes folle. Vous mentez. Vous êtes une menteuse.» Il dit: «Votre réponse, c'est pire que tout, c'est une insulte, c'est une phrase de cinéma, une phrase de livre, mais pas la vie, pas la vraie vie.» La mère est impotente, elle ne bouge pas. Elle n'a pas peur. Elle va jusqu'à répéter sa réponse, peut-être même qu'elle pense faire plaisir. Elle la redit comme un refrain, sans prendre conscience de la tempête qu'elles provoquent, elle et sa phrase. Pierre Fortin dit encore qu'elle ment. Il dit que c'est une phrase inventée par les bien-pensants, par les esprits conventionnels. Une phrase inventée par le soi-disant «amour maternel», pour se déculpabiliser. Il dit que sur ça, sur cet amour, sur son enfance, et sur cette absence d'amour, il a des preuves, plein de preuves, qu'il a ses souvenirs et que de ça on pourrait faire un film, faire un livre, que ce n'est pas la peine de nier, de se taire, que ce n'est plus la peine. Alors, Pierre Fortin dit qu'il ne veut plus jamais voir la mère, même seul avec elle, plus jamais, il dit qu'il ne viendra plus dans la maison du bord de mer. Sous aucun prétexte. Jamais.

À la fin de ses vacances, Pierre Fortin savait qu'il écrirait sur ça, sur les détails de cette vie, de cette enfance, sur les coups reçus et sur les coups donnés, sur la mère folle et sur Évelyne, sur le frère qui salissait ses culottes, sur le départ du père et aussi sur le temps où il était encore là, sur les scènes et sur les ravages, les jalousies, les mots échangés; tout cela qui, évidemment, avait lieu sous les yeux des enfants, sous ses yeux à lui, sans aucun ménagement, aucune retenue, sans réserve ni pudeur. Pierre Fortin prit conscience tout à coup de l'étendue de toutes ces choses qu'il avait endurées et qui avaient dérangé son esprit. Il sut alors qu'il fallait tout dire. Il n'avait plus peur, et lorsqu'il écrivit enfin les premières lignes de son histoire, les mots filaient sur la page, déterminés, et sa main, pensait-il, ne lui avait jamais paru aussi sûre.

Récit de Pierre Fortin

SIMPLEMENT
LES GARÇONS

À sa façon de monter les escaliers, d'introduire la clef dans la porte et d'entrer précipitamment, nous savions qu'elle était en colère. J'entendais Pascal qui disait tout bas: «C'est maman», comme pour lui-même, sur un ton neutre et froid, et ces quelques mots résonnaient aussitôt dans sa bouche comme le constat des pires catastrophes. Notre mère alors prenait à peine le temps de poser ses affaires et d'ôter ses vêtements, et d'une voix sans joie, elle criait à travers tout l'appartement: «Les enfants!», et nous arrivions, l'un après l'autre, en essayant d'adopter le rythme idéal de celui qui n'a rien à se reprocher et qui tente de manifester avec un naturel recomposé son plaisir de la revoir, à la fois décidé et retenu, volontaire mais prudent, tranquille et mesuré, tiraillé entre cette envie de courir vers elle, enfin revenue, et cette peur du procès que nous sentions venir. Qu'avait-elle appris encore? Qu'avait-elle découvert? Que lui avait-on dit, quel reproche, quelle plainte? L'un de nous seulement le savait peut-être, et encore, l'oubli est parfois si rapide. Les autres se présentaient devant leur juge avec l'angoisse de l'innocent qui n'est pas sûr de se voir reconnaître comme tel ou de pouvoir faire établir son bon droit. Et déjà elle fulminait, tournait en rond dans le séjour, nous faisait signe d'entrer. D'un geste doux et d'une voix mielleuse, elle écartait notre sœur: «Mais non, pas toi Évelyne, tu sais bien. Simplement les garçons!» Et voilà. Les personnages étaient en place. Le décor était posé. Tout pouvait commencer. Évelyne disparaissait alors derrière la porte et nous savions qu'elle resterait cachée là, accroupie tout au long de la scène, nous observant, muette et silencieuse, par le trou de la serrure.

Depuis toujours, Évelyne était exemptée d'office, d'emblée innocentée, et bénéficiait de ce statut du seul fait de son jeune âge et au titre d'une prétendue fragilité que nos parents aimaient inventer aux filles et qu'ils leur imposaient alors sans chercher à savoir vraiment si elle était justifiée ou pas. Par définition, une fille était forcément sage et forcément soumise, parce qu'elle était une fille justement, ce qui signifiait qu'elle ne pouvait jamais commettre ni erreur ni maladresse, et qu'on ne pouvait lui trouver aucun défaut. Cela, on nous l'avait assez rabâché, dit et redit depuis toujours, depuis la naissance d'Évelyne en fait, depuis ses premiers pas et ses premiers mots, et il avait bien fallu s'en convaincre au plus tôt ou, tout du moins, jouer à ceux qu'on avait convaincus, car il s'agissait là d'un décret solennel auquel il convenait de se soumettre sans attendre et sans exception. À l'avenir, plus personne dans la maisonnée ne pourrait échapper à cette nouvelle conduite de vie, et surtout pas les garçons. Il fallait «qu'ils se le mettent bien dans le crâne, vous comprenez!» Une bonne fois pour toutes. Qu'ils le sachent. «Votre sœur n'a aucun défaut. Aucun défaut, c'est simple!» Et qu'on n'en parle plus. C'était la règle, et Évelyne obéissait aux règles. Elle aimait même s'y soumettre avec une sorte de complaisance qui paraissait souvent suspecte aux regards étrangers mais que, dans la famille, on ne décelait pas et qu'on prenait simplement pour une grâce de son caractère. Ainsi, sagement se présentait-elle à chaque convocation et sagement se trouvait-elle écartée en vertu d'une bonne foi présumée et inventée de toutes pièces. À peine la formule rituelle était-elle prononcée, à peine ce «Simplement les garçons» avait-il résonné qu'elle disparaissait aussitôt, heureuse chaque fois de s'en sortir à si bon compte.

À chacun de ses départs, nous ne pouvions nous empêcher d'espérer secrètement qu'elle demanderait à rester, qu'elle supplierait, avec des cris, qu'elle insisterait pour partager notre sort, n'acceptant pas plus longtemps d'être arrachée ainsi à nous ou ne s'y résignant qu'après de terribles combats; mais Évelyne ne protestait pas. Elle marchait vers la porte, imperturbable et sereine, sans un geste d'hésitation, forte de ses droits et de ses privilèges. Jamais nous ne sommes parvenus à savoir si elle approuvait ou pas le sort qui nous était réservé, à elle tout comme à nous. Éprouvait-elle une peine que la prudence ou la gêne la poussait à dissimuler, ou prenait-elle un malin plaisir à espionner ainsi notre condition? Quel cheminement l'idée de justice pouvait-elle emprunter alors dans son jeune esprit? Quelle place existait-il déjà en elle pour la révolte ou l'affirmation? Aucune sans doute, ou si ténue qu'il lui était impossible de l'exprimer. Évelyne ne parlait pas, ni ses yeux ni ses mots ne la trahissaient. Elle nous adressait un dernier regard et nous quittait, sans bruit, sans larmes, d'une démarche assurée, ignorant toute solidarité, sans colère et sans regrets, distante, disposée par avance à tout endurer de ce qui pouvait arriver, s'attendant au pire, l'espérant peut-être même, comme une froide contemplatrice, et le pire, en effet, se produisait.

À peine sa fille disparue, notre mère s'agitait de nouveau, se tordant les mains nerveusement. En guise de prologue, on l'entendait murmurer des bouts de phrases comme: «Mais qu'est-ce que j'ai fait au bon Dieu? Vraiment, non, j'en peux plus, j'en peux plus!» ou encore: «C'est toujours la même chose, toujours, toujours! J'en sortirai jamais, j'en ai marre, marre, marre!» Et puis elle se redressait, elle nous fixait tous les deux, ses impossibles garçons, d'un regard meurtrier. Lentement, elle nous fouillait au plus profond comme pour nous arracher un improbable aveu, n'abandonnant qu'à regret. De nouveau c'était la guerre, la lutte sans merci qui se préparait. Elle faisait les cent pas dans la pièce et puis, tout d'un coup, elle s'immobilisait devant Pascal, le regardait fixement et disait simplement: «C'est toi?» Pascal disait: «Non.» Vlan! La baffe. Ensuite elle venait à moi. «C'est toi?» À mon tour, je disais: «Non.» Vlan! La baffe encore. Elle n'ajoutait jamais un mot, ne faisait pas le moindre commentaire. Aucune surprise sur ses traits. Aucune hésitation. Aucun regret. Elle retournait vers Pascal qui disait: «Non» de nouveau. Puis, elle revenait vers moi qui répétais: «Non» également. Et puis encore Pascal. Et puis encore moi. Ça pouvait durer une éternité. Pour dénicher un coupable, notre mère avait une patience infinie.

Lorsqu'elle était fatiguée de donner des gifles, notre mère se saisissait de n'importe quoi, un bâton, le martinet, une courroie quelconque, une ceinture, la corde à sauter d'Évelyne, et elle continuait son manège sans la moindre lassitude. «C'est toi?» «Non.» Vlan! La corde à sauter. «C'est toi?» «Non.» Vlan! La ceinture. «C'est toi?» «Non.» Vlan! Autre chose au hasard. Et si, comme il arrivait souvent, Pascal avait déjà coupé toutes les lanières de cuir du martinet, elle frappait avec le manche seul, mais elle frappait quand même et jamais rien ne pouvait l'arrêter. Comme une athlète qui s'échauffait peu à peu, elle commençait modérément puis, une fois rodée, elle se laissait emporter par sa propre violence. Lancée comme un moteur, sans chercher à comprendre, elle distribuait les coups de plus en plus forts et de plus en plus rapprochés. Elle devenait toute rouge. Les cheveux lui tombaient sur le front et elle ne les relevait pas. Elle se démenait avec d'autant plus d'énergie qu'à ses yeux, nous avions toujours tort. Nous avions toujours quelque chose à nous reprocher, quelque chose à expier, une chose qu'elle ignorait peut-être, mais que, de toute façon, il nous fallait payer. Pourquoi se serait-elle privée? Pourquoi aurait-elle arrêté? Nous étions des garçons, et les garçons sont mauvais, c'est bien connu, non? Ils font le mal, toujours, tout le temps. Des études avaient été faites, c'était prouvé, scientifique. Des livres ne parlaient que de ça. Des films avaient été produits pour dénoncer leurs comportements. «Le machisme!» «L'oppression masculine!» Elle les avait assez entendus ces mots-là. Même lorsqu'elle était petite, on le lui avait assez répété: «Il faut se méfier des garçons.» «Ne t'approche pas des garçons.» Et voici qu'en mère avisée, dès le plus jeune âge, elle avait appris à sa fille les bons réflexes: «Les garçons avec les garçons, et les filles avec les filles!» Évelyne, depuis, se trimballait partout en ânonnant cette fière devise, comme s'il s'était agi d'un commandement élémentaire ou d'un précepte glorieux et incontestable.

Sur la culpabilité originelle des garçons, notre mère avait accumulé tant de preuves tout au long de sa vie qu'il lui suffisait d'y penser pour être survoltée. Elle se jetait littéralement sur nous avec des cris aigus qui soutenaient ses efforts. Elle se pendait de tout son poids à nos cheveux, nous griffant le visage de haut en bas, tout en nous labourant le ventre et les tibias de coups de pied. Elle éructait et hurlait tout à la fois. À ce stade, la colère l'aveuglait tout à fait et, perdant toute retenue, elle s'acharnait alors tout particulièrement sur Pascal, qui l'excédait plus que tout.

Certains ont un don naturel pour susciter la pitié, la clémence ou la mansuétude; l'expression de leur visage, leur regard, leur façon de se comporter leur servent à la fois d'ambassadeur et de médiateur pour obtenir quelque grâce ou quelque indulgence, leurs attitudes elles-mêmes les aident à s'en sortir et ils savent composer avec la situation ou avec leur oppresseur afin d'échapper à leur supplice et de bénéficier d'une remise de peine. Pascal, lui, non seulement ne savait rien de tout cela, mais en plus il possédait le don exactement contraire, c'est-à-dire qu'émanait de lui une capacité remarquable à enflammer les ressentiments et à provoquer les pires furies. Ainsi, même lorsque sa culpabilité était apparente, que le délit dont on l'accusait avait laissé des traces concrètes et visibles sur son physique ou sur ses vêtements, Pascal, au-delà de ces évidences, s'obstinait à nier, comme s'il souffrait d'une impossibilité chronique à avouer. Quelle que soit sa part de responsabilité, quelle que soit la gravité des faits qu'on lui reprochait, du plus terrible au plus futile, sans même se soucier des inévitables difficultés qu'il éprouverait par la suite à dissimuler indéfiniment une faute que chacun le plus souvent avait déjà mise au jour, résolument indifférent à la perte considérable de crédibilité que cela entraînerait pour lui, à cet instant comme à l'avenir, Pascal disait toujours non et d'emblée écartait chaque fois de sa pensée toute éventualité de reconnaître un jour la moindre culpabilité. Pour sa part, notre mère le questionnait avec une ardeur d'autant plus vive qu'elle le savait fautif et qu'elle ne s'était pas ôté de l'esprit ce rêve insensé de l'amener une fois, ne serait-ce qu'une seule fois, à prononcer autre chose que ce «non» rituel qu'il servait systématiquement, buté et impassible, en guise de réponse. Elle n'y parvint jamais. Rien, en fait, n'aurait pu dévier Pascal du mutisme borné qu'il affichait en ces occasions-là et auquel il avait recours comme unique système de défense. Aucune morale. Aucune tentative de raisonnement. Sur lui, notre mère s'acharnait toujours en vain, et ni le fait d'entraîner un ou plusieurs innocents dans une tourmente inutile ni l'horreur de leur imposer un injuste châtiment collectif ne réussirent à infléchir un jour sa volonté. Tout comme sa mère, Pascal était intraitable. Leurs deux forces s'affrontaient avec la même fermeté, détruisant tout sur leur passage, emportées par cette seule détermination, celle de ne jamais céder.

Il arrivait parfois que notre tante, qu'une voisine, alertée par les cris, ou qu'une amie de passage assistât à ces scènes qui prenaient les allures de véritables règlements de comptes. Aussitôt chacune s'empressait pour essayer de calmer notre mère, lui disant que c'était assez, que ça suffisait maintenant, qu'avec ce qu'ils «venaient de recevoir», les garçons, sans doute, «avaient compris», qu'ils ne recommenceraient pas et qu'il n'était pas nécessaire d'insister plus encore. Rien n'y faisait. Notre mère écartait tout intervenant d'un grand balayage du bras et son geste était si brusque que plus personne n'osait ajouter quoi que ce fût. Les plus sensibles se retiraient, déplorant leur impuissance, les autres se taisaient, réduits au rang de simples spectateurs. Peut-être nous plaignait-on en silence, peut-être la plaignait-on, elle qui, en plus d'un travail éreintant, assumait, presque toujours seule, les trois enfants qu'elle avait sur les bras. De toute façon, il n'était pas d'usage à l'époque d'intervenir de trop près dans les affaires de famille des autres et personne n'eût jamais osé émettre le moindre jugement sur ce point, même s'il était visible autour de nous que nombre de parents semblaient foncièrement impressionnés par l'autorité manifeste dont savait faire preuve une femme aussi frêle, semblait-il, que notre mère, qu'ils admiraient et redoutaient secrètement tout à la fois.

Personne n'osait s'interposer. On la regardait poursuivre sa course infernale de l'un à l'autre d'entre nous, et chacun avait alors clairement à l'esprit que seul un épuisement total de ses forces parviendrait finalement à venir à bout de son emportement et qu'il ne servirait à rien d'essayer de lui échapper, de protester ou de la raisonner. Il fallait que la rage se consume d'elle-même, de l'intérieur, suçant sa propre énergie jusqu'au bout, tout comme s'éteint un feu lorsqu'il a tout dévoré. C'était long. De temps en temps, pour relâcher un peu la pression, notre mère s'offrait quelques pas à travers la pièce, comme un divertissement ou une distraction, sans nous quitter des yeux, puis elle revenait à la charge, toujours plus emportée, comme remontée à bloc. Enfin, quand elle était vraiment exténuée, totalement vidée, proche de n'être plus qu'une loque sans forme ni couleur, elle déclarait une pause. Elle disait: «Je vous laisse réfléchir. Vous avez cinq minutes. Je reviens dans cinq minutes et si vous n'avez aucune réponse à donner, je vous préviens...» La suite ne venait pas. Elle voulait évoquer un châtiment encore plus redoutable que celui qui venait de nous être infligé mais, à court d'idées, elle laissait tout à coup sa phrase en suspens. Seule son imagination parvenait à l'emporter jusqu'à cette solution extrême que, l'espace d'un instant, elle souhaitait si vivement que nous la sentions là, qui germait dans son esprit, au bord de se concrétiser. C'était une sentence si terrible, si exemplaire, si définitive qu'elle lui aurait enfin donné, elle en était sûre, ce calme parfait, lisse comme un lac, qu'elle voyait dans ses rêves et auquel elle aspirait si profondément. Un instant, l'idée de ce recours suprême et salvateur illuminait ses yeux mais, comme arrêtée à la dernière minute, elle se taisait toujours, comme si, au-delà du rêve, de l'envie folle, au-delà du projet, le reste ne suivait pas. La raison, le cœur, tout cela ne pouvait pas suivre. Ce n'était plus possible. Elle restait comme ça, le bras levé, bouche ouverte, figée dans son mutisme, puis, elle reculait lentement, sans nous lâcher du regard, et elle quittait la pièce dans ce parfait silence qui nous plongeait dans une terreur à la mesure de ce qui n'avait pas été dit et qui faisait planer sur nous une menace incommensurable.

C'était toujours alors qu'il se passait cette chose incroyable. Pascal, qui jusqu'à présent avait tout enduré sans broncher, sans gémir, sans émettre le moindre son, à l'exception de ses sempiternelles négations, Pascal sortait peu à peu de sa léthargie. Dès que notre mère avait fermé la porte derrière elle, il commençait aussitôt une sorte de mutation que je pressentais chaque fois tout autant que je la redoutais. Lentement, il rentrait son cou, repliait ses épaules, croisait les bras sur lui-même, inclinait la tête sur sa poitrine, pliait ses jambes, tout en se penchant en avant au point de presque toucher le sol avec son front, et s'immobilisait ensuite dans cette position qui tenait en même temps du vieillard voûté et du bébé utérin non encore déplié, sans qu'on parvienne jamais à savoir auquel des deux, finalement, il faisait le plus penser. Alors seulement, il abandonnait son corps à sa peur. C'était une peur immense, indescriptible, une véritable panique qui le saisissait tout entier. Il se mettait à pleurer, se liquéfiait sur place, pris de tremblements qui le secouaient de la tête aux pieds. Son visage ruisselait de larmes, de bave, de morve qui se répandaient dans tous les sens avec des bruits affreux et qui coulaient lamentablement en fins filets poisseux qu'il n'essuyait pas, ou seulement grossièrement, du revers de la manche. Il poussait une sorte de gémissement traînard qui se transformait rapidement en une plainte continue qu'on sentait chargée de toute sa détresse, et qui allait croissant, comme un beuglement vain et désespéré. Il faisait penser à une vache, le cou tendu et les lèvres contractées, et c'est à cela que tout le monde songeait en le regardant, sans oser le dire, bien sûr, mais quand même, on n'avait pas besoin d'en parler pour partager tous cette image d'une vache en train de meugler, et cela renforçait d'autant plus cette désolation noire, calcinée, cette affliction qui naissait autour de lui et qui pesait sur nos épaules.

La douleur de Pascal avait un aspect déroutant qui mettait mal à l'aise. À l'inverse des souffrances de cinéma, aux pleurs esthétiques et dignes, auxquelles on était habitués, la douleur de Pascal s'extériorisait mal et prenait une forme ridicule. Longtemps retenue, elle jaillissait d'un coup, comme source vive, désordonnée et bruyante. Devant ce spectacle, on ne pouvait que rester là, impuissant, ne sachant comment intervenir, à contempler longuement, étonné et distant, cette chose qu'on découvrait toujours pour la première fois et dont on ne pouvait détourner le regard, immobile et stupide, et face à laquelle il était difficile de trouver quoi faire, de se sentir intelligent ou utile. Coupé du reste du monde, Pascal se vidait littéralement, dans une sorte d'indifférence générale. Il devenait un phénomène en soi, quelque chose qu'on ne s'explique pas et que, prudemment, on tient éloigné, dans une fascination craintive, tant qu'on n'en a pas assimilé tout le fonctionnement. Rien ne semblait pouvoir l'arrêter ou le consoler. Peu à peu, son beuglement se faisait de plus en plus fort et de plus en plus inquiétant, les soubresauts de son corps s'accentuaient, jusqu'à donner l'impression que quelque chose allait se rompre en lui, comme si une pièce devait se casser net pour enrayer ce mécanisme infernal qui s'était déclenché, comme s'il fallait que cela se brise, que les circuits disjonctent et que l'appareil se mette en panne de lui-même, et au bout d'un moment, forcément, cela arrivait. Tel un fruit mûr qui lâche une branche inutile pour toucher mollement la terre, Pascal se taisait tout à coup et tombait doucement à mes pieds. Une seconde, il restait immobile, recroquevillé, comme tranquille enfin. Chaque fois, je pensais: «Il meurt, il est mort» et cela me consternait, mais, en même temps, c'était un tel soulagement que j'en avais honte. Puis, très vite, Pascal s'animait de nouveau. Il enserrait mes jambes avec ses bras, très fort, jusqu'à m'en faire tomber, et avec une voix redevenue très calme, très posée, il disait simplement: «Dis que c'est toi. Je t'en supplie.» Et il ajoutait: «Elle va me tuer. Dis n'importe quoi, ou elle va me tuer.» Et, à peine interrompue, sa plainte reprenait aussitôt.

En fait, notre mère ne revenait pas toujours. Depuis longtemps, elle s'était rendu compte que, s'il avait lieu, son retour ne servait qu'à prolonger indéfiniment un combat qui, de toute façon, ne débouchait jamais sur le moindre aveu, tandis qu'une retraite au plus fort de sa gloire nous laissait véritablement anéantis et lui évitait un *statu quo*, plus ou moins forcé et conclu hâtivement, qui aurait par trop ressemblé à une défaite. Le plus souvent, elle devait estimer qu'elle avait eu son content de tensions et de heurts, qu'elle pouvait s'en retourner, l'esprit libre, satisfaite d'avoir accompli son devoir et rassurée sur son statut d'éducatrice, comme si seul l'étalage de sa force et de son pouvoir avait importé. Elle pourrait dire encore qu'elle faisait «tout ce qu'elle pouvait», mais que c'était «dur, vous savez, car les garçons ne sont pas faciles». Elle ne paraissait plus. Un calme relatif tombait sur la scène. Pascal sanglotait toujours, me tenant prisonnier de ses bras. Je savais qu'il lui faudrait longtemps avant d'arrêter et de se sentir capable de me libérer. Alors la porte s'ouvrait doucement et Évelyne, qui n'avait pas quitté son poste de guet depuis qu'elle était sortie, toujours accroupie derrière le trou de la serrure, entrait lentement dans la pièce. Elle s'approchait de nous à pas feutrés, glissant sur le sol, comme on marche avec respect sur les ruines d'un champ de bataille. Quand il le fallait, Évelyne savait être une ombre. Elle avait le même visage fermé que lorsqu'elle était sortie. Muette, les yeux secs, elle n'exprimait rien et nous regardait pleurer sans geste ni compassion. Personne ne bougeait. Nous ne parlions pas. Nous n'avions rien à nous dire. Au bout d'un instant, c'était immanquable, Évelyne levait finalement un bras qu'elle tendait vers nous et, avec ce ton neutre que prennent les hommes de science pour s'enquérir d'un problème médical, comme si elle enquêtait ou poursuivait une recherche personnelle, elle touchait du bout des doigts nos marques rouges sur le visage et partout ailleurs et, tranquillement, d'une voix douce, elle murmurait: «Est-ce que ça fait mal quand j'appuie là?» et, pour savoir, elle pressait fortement sa main sur nous.

Chapitre 1

CE QU'ILS DIRONT, CE QU'ILS FERONT

Ou comment une famille bâtit son épopée,
invente ses origines et se raconte une histoire,
une histoire de princes et de villégiature,
celle qui commençait par.

Assis sur le bord du lit de sa fille, Raymond Fortin en était finalement arrivé là, précisément à ce stade du récit qui laissait toujours Évelyne pantoise, toute saisie d'émotion, bouche ouverte, crispée sous ses couvertures, les mains repliées sur les draps auxquels elle s'accrochait désespérément. La tête enfouie dans un oreiller profond dont elle surgissait avec peine, suspendue aux lèvres de son père, elle restait dans l'attente de cette phrase qu'elle espérait tant, de cette conclusion qui ne venait jamais et qu'elle appelait de tous ses vœux mais en vain. Poussée par son désir, ivre d'espérance, elle réclamait pourtant encore et encore, comme on se donne autant de chances à une loterie, elle réclamait chaque fois, sans cesse, cette même histoire, qu'elle connaissait par cœur et qui commençait toujours par ce fameux «Donc, nous étions en voyage de noces...» Complaisamment, son père se lançait une nouvelle fois dans son récit, d'une voix mécanique et monocorde, un peu fatigué de se répéter si souvent, mais néanmoins joyeux de revenir encore sur ces heureux souvenirs et, plus que tout, flatté de l'intérêt de sa fille.

Avait-il seulement le choix? Depuis que la plus jeune des enfants Fortin avait entendu parler de l'histoire du petit garçon Lindberg qui avait été enlevé en pleine nuit de chez ses parents et qu'on n'avait plus jamais revu vivant, Évelyne avait développé une véritable peur panique des enlèvements. Elle s'était rendu compte du jour au lendemain que sa chambre était la première pièce dans laquelle on accédait en arrivant de l'entrée et en empruntant le couloir principal de l'appartement. Elle ne doutait plus désormais que si quiconque s'introduisait par effraction dans la maison, ce serait pour tomber aussitôt sur elle, malheureuse innocence endormie. De plus, comme les autres chambres étaient relativement éloignées de la sienne, elle s'était persuadée qu'on aurait tôt fait de l'enlever à son tour, de la martyriser ou de l'assassiner, sans que l'on entende quoi que ce soit et que personne ne puisse voler à son secours. Elle vivait depuis dans une angoisse terrible. La perspective de passer toutes les nuits de son enfance seule dans cette pièce si dangereuse la faisait sans cesse maudire son sort et le mauvais hasard qui avait placé l'unique chambre qui soit digne d'elle, c'est-à-dire la plus grande, avec salle de bains privée et balcon panoramique, aussi malencontreusement proche de la porte d'entrée.

Évelyne voyait arriver chaque soir comme une véritable épreuve, d'autant plus aiguë que renouvelée sans cesse. Elle était littéralement hantée par de profondes incertitudes et des questionnements permanents, que venait renforcer son sens du doute et du soupçon. On avait beau essayer de la raisonner en l'assurant que les enlèvements n'étaient pas monnaie courante, que cela se produisait plutôt dans les familles très riches et qu'elle n'était pas issue d'une famille très riche, rien ne pouvait l'apaiser. On avait beau lui garantir que, même si cela arrivait, chacun dans la maison s'engageait à tout faire pour que la rançon soit payée dès le premier signe des ravisseurs et qu'elle n'avait rien à redouter sur ce plan, elle ne voyait dans tout ça que de piètres consolations et s'étonnait que ses inquiétudes ne soient pas prises plus au sérieux. Pour diminuer ses craintes et pour faire montre de bonne volonté, on lui proposait alors de garder la lumière allumée toute la nuit dans le couloir en guise de veilleuse, d'ajouter des serrures à telle et telle portes ou de laisser stratégiquement ouverts tous les autres accès qui pouvaient relier sa chambre à celles du fond, mais rien de tout cela ne semblait la satisfaire. Elle reprochait à son entourage une légèreté qu'elle ne parvenait pas à faire sienne et, finalement, elle ne pouvait s'empêcher de souligner, sur un ton désolé mais non moins résigné, combien était élevé le prix à payer pour jouir des privilèges d'une chambre à peu près satisfaisante.

En fait, ce que voulait Évelyne, c'était la présence de son père. Elle voulait un accompagnement au sommeil, cela seul parvenait à la rassurer, et elle ne perdait jamais de vue cet objectif chaque fois qu'elle revenait sur l'affaire Lindberg, manœuvrant habilement et suivant toujours le même stratagème jusqu'à obtenir finalement la faveur tant désirée. À peine était-elle allongée, à peine la croyait-on endormie, qu'elle appelait déjà et que sa voix retentissait à travers les murs. Elle demandait son père. Celui-ci quittait alors lentement la bergère Louis-Philippe du salon et rejoignait la chambre de sa plus jeune. Tranquille et résigné, il s'installait sur le bord du lit, un léger sourire aux lèvres, et immanquablement, sitôt était-il assis, Évelyne demandait l'histoire du voyage de noces.

«Donc, nous étions en voyage de noces...» commençait Raymond Fortin. Et le reste coulait tout seul, immuable, avec les mêmes images, les mêmes commentaires, les mêmes soupirs parfois, les mêmes espérances aussi, les mêmes intonations dans la voix, les mêmes gestes dessinés dans l'air...

«Au début de notre relation, un jour, ta mère et moi, en feuilletant un magazine, nous avons découvert les photos d'un village qui semblait avoir échappé au temps. Les maisons étaient en bois. On voyait des chevaux partout dans les rues. Les gens se déplaçaient en carriole. Il n'y avait pas de voitures. Tout avait l'air paisible et donnait l'impression d'une certaine aisance. Pas vraiment d'un luxe, mais d'une aisance, oui. À cause des jardins, partout, si bien entretenus, à cause des terrasses, devant et derrière les maisons, à cause de la taille de ces propriétés, qui étaient immenses vraiment, et de ces bâtisses minutieusement ornées et décorées. À bien regarder, on a vu la mer, aussi, derrière les maisons et derrière les arbres, qui devait s'avancer jusque très près des rues, comme s'il y avait un port, quelque part, tout de suite au bout de tous ces axes, un port qu'on ne voyait pas mais qu'on imaginait bien, plein de couleurs, avec les cafés sur les quais, les filets à terre, les bateaux, en bois comme les maisons, et toute une effervescence autour. Que ce soit la mer et non pas un lac, un fleuve ou autre chose, ça aussi, on l'imaginait bien, mais on ne pouvait pas en être sûrs, parce que c'étaient seulement de toutes petites taches de bleu qu'on pouvait apercevoir, et non de grandes étendues, mais ce bleu-là, justement, ça ne pouvait pas tromper. Ensuite, on a remarqué que le paysage derrière le village était assez escarpé, que ça montait et que ça descendait beaucoup. Ta mère et moi, on a pensé à un village de la Méditerranée, de n'importe où en Méditerranée. En même temps, on trouvait que ça semblait un peu trop riche, trop ordonné, pour être la Méditerranée. Malgré nos recherches, on ne parvenait pas à s'expliquer cette impression d'être hors du temps, pas plus que l'absence des voitures ni la domination de la nature qui semblait l'emporter sur toutes les marques habituelles de civilisation. L'endroit nous semblait tout à fait incroyable. Or, nous cherchions justement un endroit incroyable pour notre voyage de noces, un endroit que personne ne connaîtrait dans notre entourage et où personne n'aurait jamais eu l'idée d'aller avant nous. Ce qu'on voulait, c'était produire un effet. On n'était pas du genre à aller à Venise, à Amsterdam ou aux chutes Niagara, avec tout le monde qui nous aurait dit, lorsqu'on aurait raconté nos souvenirs au retour: «Nous aussi, on a été là!» «Et vous avez vu ci et vous avez vu ça?» «Et combien ça vous a coûté? Pas possible! Ah ben! nous, quand on y était...» «Mais c'était bien, quand même, ça vous a plu?» La seule perspective de ces radotages nous dégoûtait de toute envie de voyager. On se voyait déjà condamnés à partager nos souvenirs avec tous ces gens-là alors que, justement, nos souvenirs, on voulait les garder secrets, tout au fond de nous, tout à fait intimes et à jamais inaccessibles. Alors, partir pour Venise, pour Amsterdam ou pour les chutes Niagara, vraiment, ce n'était pas du tout ce que nous cherchions. Il n'était pas question que tout le monde vienne jouer dans notre imaginaire et dans notre mémoire pour toutes les années qu'il nous resterait à vivre. Pas question que de petits indélicats s'autorisent à saborder tous nos rêves, comme des lapins fous qu'on lâche dans des champs de luzerne et qui sautent dans tous les sens, dans n'importe quel ordre, n'importe comment, et qui détruisent tout sur leur passage, mordent et griffent jusqu'à ne plus rien laisser derrière eux.»

Le temps d'une courte pause, Raymond Fortin se raclait la gorge, saisi par l'émotion, puis continuait ainsi... «Quand on a vu les photos du magazine, on s'est regardés et, tout de suite, on a pensé que ça pourrait être là. Que c'était là, oui. Alors seulement on a lu la légende en dessous. On avait terriblement peur d'être déçus, que ce soit un endroit complètement banal, archi-connu, comme la Grèce, ou quelque chose comme ça. On était terrorisés à l'idée que la magie des photos ait pu arranger les lieux, mais qu'il n'y ait rien d'extraordinaire en réalité. Ça arrive parfois que les photos transforment tout, et puis quand on découvre de quoi il s'agit vraiment, là c'est une autre affaire! Comme quand on loue un meublé sur la côte, pour les vacances, et que, sur le catalogue, tout a l'air bien beau, bien propre, bien disposé, mais que, quand on arrive, c'est tellement sale, ça sent tellement mauvais, qu'on a seulement envie de repartir aussitôt dans l'autre sens, sans même demander à être remboursé. En abandonnant les arrhes, tout. Enfin, bon, tu comprends? On avait peur, vraiment, et on a lu la légende très vite, en retenant notre souffle. Il fallait savoir, enfin, il fallait bien être fixés. Nous n'en pouvions plus. Et puis voilà, d'un côté, c'était ce qu'on avait imaginé, et de l'autre, ça ne l'était pas du tout. C'est-à-dire que c'était presque la Grèce et que c'était presque la Méditerranée, mais que, en même temps, c'était tout à fait autre chose. C'était la Turquie! Le village de la photo était sur une île, et c'était la plus grosse île de tout un archipel, dans la mer de Marmara, au large d'Istanbul, un archipel qu'on appelait Les Îles-aux-Princes. Les Îles-aux-Princes! Rien que le nom nous faisait rêver, et simplement pour ce nom, on se disait que c'était exactement ce qu'il nous fallait. Les Îles-aux-Princes! Pour ta mère et moi... On a lu l'article en entier, sur la page à côté. On voulait tout savoir. Tout apprendre. On était sûrs que personne n'avait jamais entendu parler de cet endroit-là. On tenait enfin notre destination de rêve, notre endroit incroyable, secret, intime, notre petit paradis bien à nous et qui allait épater tout le monde. Ah! ça allait changer de Venise et d'Amsterdam, c'était sûr. On était tellement contents. On avait vingt ans, tu sais... On se voyait déjà en train de dire à tous les autres autour de nous: «Allez, devine où on va!» «Mais non, c'est pas en Amérique!» «Allez, cherche!» «Bon, on va t'aider... C'est un nom qui sonne un peu aristocratique...» «Bon, tu vois pas, alors on va au Zi-Lô-Prins!» On n'en revenait pas d'imaginer leurs têtes, leur stupeur... On est partis dans des crises de délire, on inventait déjà des scénarios, des sons, des couleurs, des aventures, on s'imaginait les héros de récits dignes des mille et une nuits. Pour nous, le rêve avait commencé.

«Dans l'article, on a appris qu'autrefois les îles appartenaient à la Grèce et qu'elles avaient servi de lieu de villégiature à la bourgeoisie d'Athènes qui venait passer l'été là-bas parce que c'était plus frais, plus aéré, et plus tranquille aussi. Les riches bourgeois venaient se retirer entre eux, comme ça, perdus en pleine mer de Marmara, reclus, coupés du monde. C'est cela qui expliquait cet air d'aisance, de volupté, qui flottait sur les villages et sur la nature, partout sur les îles, car les Grecs, évidemment, s'étaient fait construire des demeures magnifiques. Les petits ports de pêcheurs s'étaient transformés peu à peu en stations balnéaires, aristocratiques et élégantes, parsemées de grands hôtels aux noms français, de restaurants et de cafés, où on se retrouvait à certaines heures seulement et en certaine compagnie seulement et vêtu de certaine façon seulement, selon autant de rites imposés. Pendant la saison, on faisait venir sur place tout ce que l'Europe comptait d'artistes, de musiciens, de peintres, d'hommes de lettres et de comédiens. On tenait salon sur les terrasses et dans les jardins, et on parlait toutes les langues, bien sûr, mais surtout le français, car les Grecs, comme tous les aristocrates du siècle précédent, étaient très francophiles. Un service de petites barques reliait les îles entre elles et, sur terre, on utilisait les carrioles. Le reste de l'année, les îles n'étaient habitées que par quelques familles d'origine turque, qu'on avait fait venir des côtes et des îles voisines, et qui veillaient au service pendant l'été et à l'entretien pendant l'hiver. Quand les conflits ont éclaté entre la Grèce et la Turquie, et que les Îles-aux-Princes ont été cédées à la Turquie, les Grecs ont tout abandonné du jour au lendemain. On leur a bien proposé de rester et de prendre la nationalité du pays, mais aucun n'a accepté. Ils sont partis tous ensemble et on n'en a plus jamais revu aucun. Évidemment, ils n'ont rien pu vendre, et tout est resté en place, comme un immense décor de théâtre, inutile et vide, dans lequel s'engouffraient les courants aériens de la mer de Marmara. De vrais villages fantômes. À cette époque, aucune classe sociale en Turquie n'était assez fortunée pour prendre le relais d'un tel train de vie et, pendant des années, tout est resté à l'abandon. C'est cela qui explique cet aspect hors du temps qui règne sur les îles à présent. La civilisation n'a pas suivi. Pourquoi aurait-on développé ces îles que plus personne ne pensait habiter? Et puis, petit à petit, les gens sont revenus. Une nouvelle population, turque cette fois, s'est installée, pour toutes sortes de raisons et avec des objectifs différents. Les villages se sont animés de nouveau, les îles ont retrouvé une certaine vie, et c'était pour ça, pour cette vie qui s'étalait sur les photos, pour ces petits ports qu'on devinait, pour cette ambiance qui résultait d'une étrange association entre le luxe et la simplicité, et entre hier et aujourd'hui, que ta mère et moi, tout à coup, nous avions choisi les Îles-aux-Princes.»

«Est-ce que tu m'écoutes, Évelyne?» demandait brusquement Raymond Fortin, sur un ton inquiet. Puis, il se taisait un instant, car s'il acceptait volontiers de reprendre presque chaque soir son histoire à zéro, Raymond Fortin ne supportait pas d'être lâché en route. Une fois qu'il avait commencé, il fallait le suivre jusqu'au bout, sommeil ou pas sommeil. Or, depuis qu'elle lui avait fait le coup une ou deux fois, il soupçonnait toujours Évelyne d'être au bord de s'endormir, ce qui le rendait très vigilant. «Tu es sûre que tu m'écoutes?» répétait-il. «Oui», disait Évelyne. «Donc, nous étions en voyage de noces...» reprenait Raymond Fortin.

«Nous avions trouvé notre destination, notre endroit secret, insoupçonné et insoupçonnable, merveille de surprise, d'originalité et de mystère; il ne nous restait qu'à nous y rendre. À cette époque, l'avion, bien sûr, ça existait déjà, mais c'était très cher, tu sais, et un peu neutre aussi, alors on a hésité. Finalement, on a décidé de voyager en train, parce que le train, tu comprends, c'était toute une atmosphère! Surtout qu'existaient encore ces fameuses lignes Trans Europ Express qui traversaient l'Europe entière en une seule fois et qui portaient des noms incroyables comme le Train bleu ou le Trans Orient Express... Ça prenait des jours et des jours, bien sûr, mais quel voyage! On s'arrêtait dans les villes les plus prestigieuses de chaque pays. On dormait dans de véritables voitures-lits. Il y avait des wagons-restaurants, des wagons-bars, des wagons-salons... Le personnel était accueillant et les passagers, alors là, les passagers... la grande classe! Enfin bref, dans ces wagons-là, quand on n'était pas occupé à dormir, à manger ou à boire, on passait tout le temps du trajet à socialiser et à bavarder. Et c'est un peu un train comme ça qu'on a pris. On s'est rendus tout seuls, ta mère et moi, à la gare de Lyon. On n'avait besoin de personne. On était tellement excités qu'on est arrivés avec une bonne heure d'avance. Le train n'était même pas encore annoncé! Et puis, une voix nous a informés que le train Trans Europ Express en provenance de Londres et à destination d'Istanbul allait entrer en gare. C'était merveilleux. La phrase n'en finissait pas de résonner à nos oreilles. C'était comme si chaque mot s'était mis à rebondir dans l'espace de la gare, comme si on les avait vus se cogner partout, sur les murs et sur les verrières, comme ces ballons tenus par un élastique que les enfants frappent sur une planche à longueur de journée. Les mots de la phrase nous semblaient autant de ballons qu'on projetait vers les parois et qui revenaient chaque fois vers nous, comme si eux aussi avaient été tenus par un élastique trop court. Et ça valsait, ça se précipitait... *Istanbul*, d'un côté. *Trans Europ Express*, d'un autre. *Train. Gare.* Tout ça se mêlait, se bousculait, se croisait. À la fin, on ne parvenait même plus à les identifier tellement ils allaient vite. Ils passaient devant nous à toute allure, comme des fusées, propulsés les uns à la suite des autres. De nouveau, ils allaient se heurter quelque part, puis ils revenaient vers nous, de plus en plus affolés. On en était tout étourdis… Et puis, lentement, dans un parfait silence, presque anormal, l'énorme locomotive est apparue à l'extrémité de la voie et s'est avancée vers nous, glissant littéralement sur les rails.»

À une respiration devenue tout à coup un peu trop régulière, Raymond Fortin devinait que sa fille une nouvelle fois était en train de lui échapper. «Est-ce que tu m'écoutes, Évelyne?» s'inquiétait-il, mais Évelyne ne répondait pas tout de suite. Même si globalement elle aimait entendre l'histoire du voyage de noces, elle ne pouvait cacher que ce n'était pas cette partie-là du récit qui l'intéressait le plus. Elle aurait bien voulu dire à son père d'aller plus vite, d'en venir au fait et, notamment, à cette fameuse scène qui la faisait tant vibrer, mais elle n'osait pas. Était-il possible que son père ignorât encore cette préférence qu'elle avait au fond d'elle-même? Était-il possible qu'il n'eût rien deviné, avec le temps, de cette attente si intense? Était-il possible qu'il ne l'ait toujours ni constatée ni remarquée et qu'il n'ait au bout du compte rien compris de ses aspirations? Elle n'aurait su le dire. Faisait-il exprès de la faire languir? Retardait-il volontairement cet épisode crucial et tant espéré pour accentuer son effet, tout comme le magicien tarde à faire sortir le lapin de son chapeau? Prenait-il tout ce temps par souci du détail et de la mise en scène ou se laissait-il emporter tout simplement par un plaisir égoïste, sans rien avoir deviné de l'impatience de sa fille? Évelyne le regardait se concentrer sur ses évocations et elle ne savait à quoi attribuer une telle rigueur. Raymond Fortin semblait véritablement accaparé par l'effort intense que faisait sa mémoire pour retrouver et restituer ces instants d'autrefois, auxquels plus le temps passait plus il accordait de valeur. Un souffle profond s'emparait de lui. Grisé par son propre récit, il s'écoutait toujours avec ce même sérieux de celui qui découvre quelque chose pour la première fois. Envoûté par son travail de recomposition, confondu de respect, il procédait point par point, lentement, méthodiquement, et se passionnait, alors même qu'il la revivait, pour l'aventure de ses jeunes années. Historien, il établissait la version officielle des événements. Peintre, il leur donnait formes et couleurs. Sociologue, il révélait leurs conséquences, fournissait repères et références. Par sa bouche, il en avait conscience, et par elle seule, s'écrivaient les véritables annales de la famille. Il voyait l'édifice suprême se bâtir devant lui. Il en jetait les bases tout d'abord, puis, peu à peu, le texte définitif se constituait, de plus en plus fort et intense, de plus en plus large, comme un fleuve qui roule vers la mer et qui devine l'estuaire à proximité. Inlassablement, sans commettre la moindre erreur et sans changer une virgule, il rédigeait chaque fois pour Évelyne ce livre vénérable auquel désormais femme, enfants, parentés et amis auront à revenir sans cesse comme à une source de jouvence, et devant lequel chacun apprendra à s'incliner avec respect, tout comme chaque peuple vénère son épopée.

Raymond Fortin tenait *mordicus* à livrer son histoire en entier, sans se soucier de l'heure qui passait, des détails trop nombreux ou de l'intérêt que cela pouvait présenter pour autrui, refusant d'en rien perdre ou d'en sacrifier ne serait-ce qu'une infime partie. Avec lui, c'était tout ou rien et il aimait notamment s'installer dans un long préambule qui remontait tout à fait à la source de l'histoire. Il traquait le fœtus avant l'être humain et évoquait avec émotion le moment où avait jailli l'idée pour la première fois. Il observait ensuite comment l'idée était devenue projet, comment celui-ci, d'abord un peu vague, s'était précisé de plus en plus, puis, comment du projet avait surgi la réalité et, enfin, comment de cette réalité étaient nés les souvenirs. Il s'attardait sur telle ou telle impression, prenait allégrement tous les tours et détours qui lui venaient à l'esprit, ce qui ranimait ses souvenirs et faisait battre son cœur toujours plus fort. Sous le feu de l'émotion, la couleur de ses joues se ravivait et lui donnait des airs rêveurs. Lentement, il plantait le décor avec un soin infini pour rappeler, disait-il, ce qu'était cette époque et, surtout, ce qu'ils étaient eux, Louise et lui. «On avait vingt ans, tu sais», ajoutait-il sur un ton nostalgique, et Évelyne disait: «Oui.»

«Du début du voyage nous n'avons rien vu. Le train est parti et tout le temps de la première soirée nous ne nous sommes occupés que de nous, de rire, de manger, de discuter, d'observer et de visiter l'intérieur des wagons, passant de la voiture-bar à la voiture-restaurant et aux voitures-couchettes, comme on saute d'un manège à un autre dans une fête foraine, émerveillés par la qualité du service, par le soin accordé à l'aménagement et à l'équipement, et par la précision, le raffinement et le sens du luxe qui émanaient du moindre détail et du moindre objet. Tard dans la nuit, nous nous sommes couchés et endormis aussitôt, sans même avoir pensé une seule fois à regarder par la fenêtre, sans jamais nous être souciés des villes que nous traversions et dans lesquelles nous nous arrêtions parfois, et parfois pas, et sans nous être préoccupés le moindrement du paysage qui défilait presque sous nos yeux, fendu en son centre par la lancée de notre train, et projeté sur ses côtés tout comme la proue d'un navire déchire les eaux lorsqu'il les pénètre, rejetant ses écumes de tous bords jusqu'à ce qu'elles s'évanouissent enfin, loin en arrière, confondues dans son sillage. Le lendemain, nous étions en Italie. Ce fut une journée interminable. Maintenant que nous connaissions par cœur les moindres recoins de notre convoi, nous n'avions rien d'autre à faire cette fois que d'observer indéfiniment le paysage. Plus nous approchions et moins nous avions l'impression d'avancer. Le temps ne passait pas, tout nous paraissait trop long et les distances entre les villes nous semblaient s'étirer comme des kilomètres de caoutchouc qu'une invisible main, ironique et sournoise, aurait pris plaisir à distendre inlassablement pour en multiplier la mesure jusqu'aux limites de leur résistance. Nous sommes restés ainsi tout au long du jour, avachis et passifs, à laisser se dérouler devant nous des rubans de campagnes et de villes qui n'avançaient jamais assez vite, espérant chaque fois être rendus beaucoup plus loin qu'on ne l'était vraiment et découvrant chaque nouvelle étape avec déception, alors que nous nous apercevions que nous étions seulement à tel endroit et pas plus avant, et que le train lanternait lamentablement tandis que notre pensée, elle, nous avait déjà conduits bien au-delà. Ainsi avons-nous vu sans regret passer Venise et ainsi avons-nous vu Trieste, juste avant que le train ne quitte l'Italie pour la Yougoslavie, puis le soir tomba sur Belgrade, alors que nous prenions la direction de la Bulgarie, enfin, à Sofia, il faisait nuit noire. Le lendemain, très tôt, nous étions à Istanbul.»

Ici, Raymond Fortin marquait toujours quelques secondes d'arrêt pour installer son effet. Il laissait le mot *Istanbul*, mystérieux et voluptueux, planer un instant dans la pièce et briller de tous ses feux, magie de l'Orient et de l'Occident réunis, civilisation plusieurs fois millénaire, cité maintes fois prise et conquise, baptisée et rebaptisée, mais toujours une et éternelle, par-delà l'histoire. Il attendait que la curiosité d'Évelyne soit assez aiguisée et éveillée par cette seule évocation, puis il reprenait aussitôt, persuadé que l'imagination de sa fille l'avait plus que jamais transportée à ses côtés et qu'elle venait à présent d'accoster avec lui sur les mêmes rivages merveilleux et enchantés.

«La petite gare de Sirkeci, dans laquelle les trains en provenance d'Europe trouvaient leur terminus, ne comptait que quelques voies, qui restaient vides la plupart du temps, mais dont les quais néanmoins étaient toujours la proie d'une agitation fébrile. On y passait et repassait en tous sens, criant, gesticulant, infirmes et valides, certains actifs et empressés, d'autres langoureux et nonchalants, mais tous en mouvance, car la gare se trouvait sise au beau milieu d'un des quartiers les plus animés d'Istanbul et depuis longtemps la population avait renoncé à l'idée de contourner ce bâtiment qui surgissait mille fois par jour au détour des multiples allées et venues. On arrivait de partout en même temps, on franchissait les rails, on frôlait les guichets, on poussait les portillons à la va-vite, comme on traverserait un vestibule d'hôtel. Dès qu'ils en avaient l'occasion, tous les passants s'empressaient de répondre à l'irrésistible appel du bâtiment solennel, de ses grandes portes et de ses baies vitrées, béantes jour et nuit sur la rue, et qui semblaient autant d'invitations à couper par le grand hall, à user et abuser de ce raccourci joyeux et inopiné, comme on le fait avec malice d'une autorisation difficilement acquise. Rien ne semblait prédestiné à pouvoir cesser de bouger, ne serait-ce qu'un instant, dans la petite gare de Sirkeci, aussi lorsqu'on voyait arriver cette immense locomotive du Trans Europ Express et qu'elle s'immobilisait enfin, après tant d'heures de course, tant de pays traversés, tant d'étapes accomplies, on ne pouvait s'empêcher de penser qu'il fallait bien toute la magie de la rencontre entre l'Europe et l'Orient pour qu'une chose pareille puisse se produire. Nous-mêmes nous ne parvenions pas à imaginer que quelque chose puisse s'arrêter ici, que quelque chose puisse trouver un terme dans la petite gare européenne d'Istanbul, à l'exception justement de cet incroyable trajet, de cette course folle qui nous avait menés là. Nous nous sommes jetés dans la cohue qui noircissait les quais et nous nous sommes frayé un chemin jusqu'au port, qui n'est qu'à quelques pas. Sans même avoir précisément saisi à quel moment nous avions quitté la gare, nous étions déjà sur l'embarcadère de Sirkeci. Autour de nous, la foule donnait à chaque endroit la même couleur et le même balancement, c'était la même toile humaine, le même tissu, qui recouvrait les rues, les ponts et les escaliers comme un vêtement uniforme, une blouse grise et tachetée, au toucher rugueux. Au sein d'une telle densité, quitter une gare pour un port n'offrait aucune différence. Ça tombait bien. Nous ne voulions rien voir d'Istanbul. Nous n'avons rien vu. Nous étions venus pour les Îles-aux-Princes et c'est pour les îles que nous avons demandé à embarquer dès que possible. Le premier bateau partait à peine un peu plus tard.»

Là, Raymond Fortin s'agitait. Il dessinait de grands gestes dans le vide et esquissait avec ses mains les formes galbées du navire. «C'étaient de très gros bateaux, tu sais, disait-il. Pas des petits traversiers comme j'en prenais autrefois pour franchir l'estuaire de la Seine aux environs du Havre! Non, c'étaient des vrais... Avec des ponts à étage, des transatlantiques en bois disposés sur les terrasses avant et arrière, une cheminée qui fumait, une sirène qu'on actionnait tout le temps qu'on quittait le Bosphore, et surtout, surtout, avec un immense comptoir chromé qui courait sur toute la largeur du pont arrière, jetant mille feux autour de lui. Ce comptoir était l'attraction essentielle du navire, car c'était à partir de là que s'organisait la ronde des vendeurs de thé. En quelque sorte, il était à la fois un éternel centre de ralliement et le point de départ de toutes les courses qui se déployaient à travers le bâtiment. Les vendeurs de thé étaient toujours des hommes, de tous les âges, et ils sillonnaient d'un pas alerte couloirs et salons en criant: «Tchaï! Tchaï!» à longueur de traversée. Ils tenaient d'immenses plateaux à bout de bras, sur lesquels brillaient des dizaines de petits verres d'un thé clair et brûlant, tous habilement coiffés de soucoupes métalliques qui protégeaient le thé de la poussière et le gardaient chaud. Lorsqu'un vendeur arrivait devant un voyageur, il lui plantait le petit verre dans la main et faisait glisser d'un geste habile la soucoupe sous le verre, puis, d'un autre mouvement rapide, il jetait une cuillère et un morceau de sucre à même le liquide. Quand on arrivait en vue du port de destination, le même vendeur, ou parfois un autre, surgissait tout aussi rapidement et ramassait sa vaisselle et son argent, que vous ayez fini ou non. C'était un rituel et les rituels ne sont pas modulables. Il faut s'y plier ou s'abstenir, et c'est tout.

«Ces bateaux, les Turcs les appellent les *vapurs*, et ta mère m'avait fait remarquer combien il était étrange que ce soit toujours le même mot qui désignait ces bateaux-là, un vapeur, en français, un *vaporetto*, en italien, et un *vapur*, en turc. À ce moment-là, ta mère, je l'avais regardée, et, je te jure, cette remarque, ça m'avait complètement fasciné, parce que moi, tu vois, ce genre de choses, de coïncidences, surtout sur le plan de la langue, je suis tout à fait, mais alors tout à fait incapable de les voir, incapable de faire le moindre rapprochement. Alors que ta mère, ta mère... Mais, bon. Est-ce que tu m'écoutes, Évelyne?» Et Évelyne disait: «Oui.» «Alors, voilà... Au bout d'une heure, nous étions en vue de Kinaliada, la première des quatre îles. Puis ce furent Burgazada, Heybeliada et, enfin, Buyukada, la plus grande de toutes. Quatre arrêts rapides, relativement rapprochés, quatre petits débarcadères identiques, blanc et bleu, avec un ou deux hommes sur les quais pour attraper le filin et faciliter l'accostage. Quatre fois nous aperçûmes des villages à l'arrière-plan, qui s'étiraient paresseusement. Quatre fois ce fut l'appel, le mystère, quatre fois le désir de sauter immédiatement à terre, de voir enfin, de toucher, quatre fois la magie. À midi, nous étions arrivés.»

Par la suite, Raymond Fortin passait toujours rapidement sur toute une série de faits et de détails qu'il semblait avoir oubliés, ou auxquels, malgré lui, il n'accordait pas une importance suffisante pour prendre le temps de les évoquer. L'installation à l'hôtel, les premières impressions en marchant dans les rues, le nombre de jours pendant lesquels Louise et lui avaient séjourné sur l'île, le genre d'emploi du temps qu'ils avaient adopté, la météo en mer de Marmara, les rencontres qu'ils avaient pu faire, tout cela était esquivé en bloc. Raymond Fortin n'évoquait pas plus le sentiment que Louise et lui avaient éprouvé en découvrant ce lieu qu'ils avaient jusqu'alors aimé à distance. Avaient-ils été déçus au bout du compte par les Îles-aux-Princes, ou, au contraire, l'endroit s'était-il révélé ce havre de paix paradisiaque, idéal pour un voyage de noces, qu'ils avaient escompté et qu'ils s'étaient inventé tout à la fois? Tout cela était balayé au profit d'un unique instant, si court pourtant, si modeste en apparence, si insignifiant et qui, si on n'y avait pris garde, aurait pu tomber si facilement dans l'oubli et l'anonymat, tout comme ces tranches d'éternité, blanches et vides, qui disparaissent à jamais des livres d'histoire. Évelyne ne manquait jamais de s'étonner du pouvoir de cet instant qui, sans même avoir duré une journée, pas même une demie, était parvenu peu à peu à éclipser un séjour tout entier. Au cœur d'une soirée qui s'annonçait comme tant d'autres, un tout petit soir de rien du tout, une couple d'heures seulement avaient suffi pour changer la destinée de la famille Fortin et pour donner un nouveau sens à la vie de Raymond et de Louise. Avec le temps, le rôle qu'on avait fini par attribuer à cette page de la vie du couple et l'importance qu'on lui avait accordée avaient transformé ce modeste soir en un moment unique dans les annales de la famille, moment au statut si particulier qu'il rendait tout le reste dérisoire et effaçait toute trace des autres souvenirs. À partir de là en effet, un immense écran avait envahi la mémoire collective du jeune couple et une seule image désormais s'y était trouvée projetée, une seule mais sublime, toute en Technicolor et en format géant, fascinante et éternelle comme une scène de bal dans un film de Visconti. C'était pour cette unique image, pour en arriver là et pour la revivre encore, soir après soir, qu'Évelyne demandait à peine la nuit tombée l'histoire du voyage de noces, et c'était pour cette image aussi, pour la remettre en scène, pour planter son décor, pour lui donner tout son poids, son plein sens et sa véritable valeur, que Raymond Fortin, chaque fois, imposait une si longue introduction et un préambule si complet. Il s'était convaincu qu'il était essentiel de revenir en permanence à ces précieux détails, indispensables pour saisir d'un seul coup, d'un seul regard, en une immense brassée, tous les enjeux de l'histoire, les attentes de chacun, leurs espérances et leurs défis. Plus que tout, Raymond Fortin tenait à rappeler dans quelles conditions tout cela s'était déroulé mais aussi il voulait souligner qui ils étaient alors, Louise et lui, à cette époque. «Nous avions tout juste vingt ans», répétait-il dans un souffle.

Une fois qu'on en était arrivé à l'immense image sur l'écran de leur mémoire collective, le cœur d'Évelyne et celui de Raymond Fortin se mettaient à battre plus fort dans leurs poitrines et soulevaient leurs corps oppressés. Quelque chose en eux se heurtait désespérément aux parois soudain trop étroites de leurs thorax avec un bruit sourd de tambours. Leurs respirations se précipitaient et cela sortait tout à fait Évelyne de la torpeur et de la douce somnolence dans lesquelles elle s'était sentie sombrer lentement jusqu'alors et contre lesquelles elle avait de plus en plus de mal à lutter, et cela aussi ravivait encore plus les joues de Raymond Fortin qui retrouvait tout à coup l'élan et la flamme d'une nouvelle jeunesse.

«Ce soir-là, nous avions pris place dans la grande salle à manger du restaurant de l'hôtel. L'espace était si vaste, les plafonds si hauts et transparents, la lumière si intense, qu'on se serait cru à une terrasse, directement au bord de la mer, ou sur une des places du village, près des débarcadères, en plein soleil. Dans un coin, un jeune homme, dont les yeux et les cheveux étaient aussi noirs que son instrument, jouait du piano avec une sorte de gaieté retenue. Au-dessus de nous, se déployaient plusieurs étages de balcons, disposés en carré, le long desquels étaient réparties les chambres, gentiment alignées, et auxquelles on accédait par quatre escaliers en colimaçon, qu'on distinguait à peine, et qui étaient exactement percés à chaque angle que formaient les balcons. Tout était blanc, les rambardes, les colonnes de bois qui soutenaient l'ensemble, les murs, les portes des chambres, les escaliers en colimaçon, et sur ce blanc seules se découpaient les envolées d'immenses plantes vertes qui, telles des araignées géantes, tissaient leurs toiles d'étage en étage. Sans aucune contrainte, les immenses tentacules longeaient les murs ou s'élançaient dans le vide, s'agrippant parfois avec force à tout ce qu'elles trouvaient, nouées et emmêlées, ou n'effleurant qu'à peine les formes et les contours. Sur chaque palier, de longs couloirs étroits servaient de promenoir à quelques silhouettes qui déambulaient nonchalamment pour voir et se faire voir. On les apercevait, ombres furtives, qui s'asseyaient sur les petits bancs de bois, le long des murs, pour lire, attendre quelqu'un ou pour trouver la paix et la solitude, ou qui s'accotaient mollement sur les balustrades et observaient d'en haut, avec des airs rêveurs, le spectacle des dîneurs en dessous d'eux.

«Autour de nous, dans la lumière et dans la musique diluée du piano, presque tout ce que l'hôtel comptait de vacanciers et de villégiateurs était en train de se restaurer après une journée passée à la plage ou en excursion à l'intérieur des terres. Le grand air avait mis chacun en appétit. Les conversations allaient bon train. Une humeur joyeuse planait sur la salle et régnait partout. Le service était discret et efficace. Une sorte de nonchalance s'était emparée de la salle. Nous étions à cette heure de la tombée du jour où les énergies enfin se relâchent, les corps et les esprits s'étaient apaisés et chacun se préparait aux intrigues de la nuit ou aux errances de la veillée. Les tables étaient essentiellement occupées par des couples seuls, d'un peu tous les âges, parfois deux couples ensemble, rarement trois, qui devisaient avec sérieux et retenue. Sans doute l'endroit imposait-il cette sorte de majesté, à moins que ce ne soit l'heure, ou encore la saison, tout simplement. Les enfants qu'on voyait tout au long du jour s'ébrouer sur la plage semblaient avoir disparu. On ne les voyait plus. Peut-être mangeaient-ils ailleurs, dans un lieu plus approprié à leur turbulence, peut-être encore, ivres du grand air marin, étaient-ils déjà au repos. Les familles imposantes qui envahissaient d'ordinaire l'hôtel tout entier s'étaient dissoutes volontairement le temps d'une soirée, et s'offraient à elles-mêmes des vacances. Les gens étaient venus par deux, en amoureux, tout comme Louise et moi l'étions. Pas d'enfant. Pas de famille. Cela, nous l'avions constaté tout de suite, ta mère et moi. Pas de famille, sauf une, justement, dont la grande table ronde était située juste en face de la nôtre, petite et rectangulaire.

« À cette table, comme aux autres, il semblait que tous mangeaient de bon appétit. Les parents, comme les enfants, deux garçons et deux filles, affichaient un air épanoui et calme, en parfaite relation non seulement avec leur entourage, puisque la bonhomie était générale, mais avec le lieu même, l'hôtel, la salle à manger, les balcons suspendus dont on sentait la présence au-dessus de nos têtes comme les regards de badauds indiscrets. Leur conversation paraissait animée et, comme aux autres tables, elle semblait aussi retenue. On sentait, à les observer, ce tout petit effort, si discret qu'il en était presque élégant, comme une vertu, une parure, ce tout petit effort pour brider le naturel et pour ne parler ni trop vite ni trop fort. On le sentait, on le voyait. Ils affichaient tous un air aimable et constant. Le sourire ne quittait pas leurs lèvres. Et ce qu'on voyait par-dessus tout, ce que ta mère et moi, surtout, nous voyions, et qui nous tenait saisis dans une contemplation presque béate, c'était une sorte d'aura qui planait au-dessus d'eux tous, une qualité supérieure qui les rendait beaux, comme une magie, une grâce. D'un seul regard, nous avions deviné cette unité de pensée qui était à la source du moindre de leur geste et qui coordonnait si merveilleusement leurs mouvements, comme s'ils étaient animés par un de ces minuscules mécanismes qui autrefois donnaient vie aux automates, tout en finesse et en délicatesse. Tous se complétaient et se répondaient dans une cohésion sublime. De leur table émanait un tel rayonnement que, tout à coup, il nous sembla que rien de ce qui avait lieu ce soir-là sous nos yeux dans la salle à manger du grand hôtel n'aurait eu de sens si cette famille-là, à cette table-là, n'avait été présente pour compléter le tableau. C'était uniquement grâce à elle que le spectacle entier parvenait à être ce qu'il était et qu'il trouvait son équilibre. Chacun à cette table, consciemment ou pas, agissait en tous points comme un révélateur qui donne aux textures et aux formes leur véritable apparence et renforce leur signification. Nous les observions et tout ce qu'ils faisaient nous apparaissait sculpté comme une œuvre d'art au toucher lisse, rond et poli. Nous les observions et tout ce que nous voyions nous rendait envieux jusqu'à la jalousie car, plus qu'une discipline, ce qui trônait entre eux tous et qui les rendait si parfaitement liés les uns aux autres, ce qui inscrivait cet air de bonté sur leur visage et colorait les instants d'une telle sérénité, c'était une harmonie profonde, une harmonie qui était partout entre eux six et qui les tenait ensemble.

«Tout au cours du repas, longuement, nous les avons regardés. Les adultes agissaient avec dignité et un rien de condescendance. Les enfants faisaient preuve de respect et d'obéissance. Sans que nous sachions très bien pourquoi, ils attiraient notre attention plus que toute autre chose, et plus encore que leurs parents. Leurs manières étaient de vraies manières. On voyait qu'ils avaient appris les règles du monde et qu'ils acceptaient de les respecter. Quand ils ne mangeaient pas, tous quatre, même les plus jeunes, tenaient scrupuleusement leurs mains, poings fermés, sur la table, et ne tripotaient pas inutilement verres ou couverts. Ils ne se bourraient pas de pain entre les plats et ne sauçaient pas leurs assiettes avec voracité jusqu'à en ternir le vernis. Ils ne faisaient pas tinter leur verre à eau contre leur verre à vin et, d'ailleurs, ils ne buvaient que très peu de vin, et toujours coupé d'eau. Ils avaient la modération de garder leur pain pour le fromage et, lorsqu'ils en mangeaient, ils faisaient des efforts visibles pour mettre le moins de miettes possible tout autour d'eux. Ils ne se trompaient jamais de mains pour tenir leurs couverts et savaient les utiliser dans la position et avec l'inclinaison qui convenaient dans chaque situation. Bien entendu, ils savaient également reposer ces mêmes couverts exactement à l'endroit et de la façon qu'il fallait, sans jamais qu'ils ne tachent la nappe ou qu'ils ne glissent à terre par inadvertance. Tous quatre reconnaissaient infailliblement le couteau à viande du couteau à poisson, tout comme la fourchette des hors-d'œuvre de la fourchette principale et de la fourchette à gâteau. Ils fermaient la bouche lorsqu'ils mâchaient et, bien évidemment, lorsqu'ils avalaient. Ils ne faisaient aucun bruit avec les lèvres et leur estomac n'était jamais ébranlé par le moindre gargouillis. Ils ne connaissaient ni les excès de nourriture ni les inconvénients qui en découlent et n'avaient aucune idée de ce que pouvait être manger trop vite ou avoir trop bu. Il va sans dire qu'ils ne posaient jamais leurs coudes sur la table et qu'ils usaient de leur serviette avec parcimonie, de sorte que celle-ci ait à peine l'air froissé au moment du dessert. Du début jusqu'à la fin du repas, ils mangeaient sans se salir et se faisaient un devoir de rester propres comme un sou neuf. Ils ne faisaient jamais le moindre commentaire sur la nourriture qu'on leur apportait et refusaient toujours d'être servis une seconde fois même s'ils en mouraient d'envie, et d'ailleurs, ils n'en mouraient jamais d'envie. Quoi qu'on leur proposât, qu'ils eussent accepté ou non, ils disaient toujours merci sur le même ton et on devinait qu'à tout jamais, ils avaient banni de leur vocabulaire le présent de l'indicatif du verbe vouloir pour ne dire que: «Je voudrais» ou «J'aimerais», car seul le roi, n'est-ce pas, dit: «Je veux». Lorsqu'on ne leur adressait pas la parole, ils tenaient toujours les yeux baissés devant eux sans avoir l'air pour autant de détailler ce qu'on avait mis dans leur assiette. Ils attendaient toujours d'y être invités avant de parler et ne coupaient jamais la parole à personne, même aux plus petits, et encore moins à l'un de leurs parents. Jamais ils ne levaient le ton, même pour exprimer leurs convictions les plus profondes, et, par instinct, ils savaient surveiller l'intensité de leurs voix pour éviter d'agresser les oreilles des grandes personnes. Quelle que soit la discussion, ils avaient toujours la prudence de renoncer à toute idée personnelle plutôt que d'en venir à s'opposer inutilement à leurs parents, ceux-ci ayant toujours raison puisqu'ils sont adultes et que les enfants justement ne sont pas adultes. À ce sujet, ils avaient compris depuis longtemps qu'ils étaient à l'âge des apprentissages et que l'apprentissage, dans les familles convenables, signifie se taire, éventuellement écouter, mais surtout se faire oublier. En un mot comme en cent, ils étaient éduqués. Leurs parents pouvaient s'afficher partout avec eux sans crainte aucune. Ils ne leur feraient jamais honte. Ils ne piquaient pas de crise en pleine rue ou dans les lieux publics, et ne pleuraient pas inconsidérément si, par hasard, ils recevaient une gifle plus ou moins méritée. Bref, ils possédaient un vrai sens des valeurs et savaient se tenir en chaque circonstance, ce qui faisait d'eux, en tous points, des enfants modèles.

«Nous les regardions et nous n'étions pas les seuls. En fait, au bout d'un moment, tout le monde les regardait, comme si le message avait couru dans toute la salle, de table en table, comme ça: «Il y a des enfants modèles en train de manger avec leurs parents à la table ronde là-bas...» Les enfants, eux, ne s'étaient rendu compte de rien. Ils continuaient à manger et à discuter sans changer leurs comportements. Autour d'eux, le message se répandait un peu plus à chaque instant et, sans cesse plus nombreux, les gens se mettaient à les regarder, les yeux chargés d'admiration, et il était visible que plus cette admiration grandissait, plus la fierté des parents grandissait elle aussi.

«Ils ont été observés ainsi pendant tout le repas, et c'est long, tu sais, un repas d'été dans un grand hôtel des Îles-aux-Princes, et ils n'ont pas commis une faute, pas une erreur de comportement. Des anges! De l'entrée au dessert, du début jusqu'à la fin, et c'est à la fin, justement, à la fin du repas, après le café, le digestif, tout, alors que chacun commençait à reposer avec négligence sa serviette près de son assiette, et qu'on éloignait de plus en plus sa chaise de la table par petits à-coups, imperceptibles et répétés, pour montrer qu'on allait bientôt se lever et quitter la salle, c'est à ce moment donc, qu'un homme, un vieil homme, s'est imposé soudainement au regard de tous. Alors qu'il avait dîné jusqu'à présent en tête-à-tête avec une vieille dame, cet homme a surgi tout à coup devant nous. Tranquillement, il s'est levé de sa chaise et comme il était le seul dans la salle à être debout, voici qu'en l'espace d'une seconde on ne vit que lui. Il se tenait bien droit et, d'une démarche assurée et digne, il s'est approché de la table de la famille modèle. Il avançait tellement lentement, et avec tant de cérémonie, que sa démarche prit immédiatement une sorte de caractère insolite aux yeux de son curieux public. Après quelques pas, il s'est raclé la gorge pour s'éclaircir la voix et peut-être aussi pour demander le silence, pour obtenir l'attention des autres et pour donner plus d'importance à ce qu'il allait dire. Il s'est approché encore plus près de la table, il s'est raclé la gorge à nouveau, puis s'est incliné devant les parents de cette famille modèle. Alors seulement, en français, avec un accent étranger à peine perceptible, en détachant bien chaque syllabe, il a dit clairement: ‹Je vous félicite pour la tenue et pour l'éducation de vos enfants.›

«Te rends-tu compte, Évelyne? s'étonnait encore des années plus tard Raymond Fortin. ‹Je vous félicite pour la tenue et pour l'éducation de vos enfants!› Il a dit: ‹Je vous félicite›, devant tout le monde, en se tenant bien droit, bien haut, bien fier... devant toute la salle à manger de l'hôtel. Il a dit: ‹... pour la tenue et pour l'éducation de vos enfants!› Alors là, ta mère et moi, on n'a même pas eu besoin de parler. On ne s'est pas dit un mot. On s'est regardés et on savait. Dans nos têtes déjà, on savait. On n'a rien ajouté. On savait que nous aussi on aurait des enfants comme ça, des enfants modèles qui susciteraient l'admiration et qui auraient de belles manières. On venait de tout comprendre d'un coup, sans même avoir besoin d'en discuter. Les photos du magazine, notre séjour aux Îles-aux-Princes, tout cela n'avait existé que pour nous amener un jour à cette prise de conscience. Il n'existait pas de hasard. Désormais, tout était clair. Les choses venaient de se révéler et elles étaient écrites là devant nos yeux. C'était comme une aspiration profonde, qui nous aurait toujours habités, mais en silence, et dont nous venions tout à coup de prendre connaissance. La foudre était tombée sur nos corps endormis et elle avait arraché un voile immense qui obstruait jusqu'alors notre horizon. À présent, l'avenir tout entier apparaissait enfin à notre contemplation. En un instant, nous sûmes que, nous aussi, nous aurions quatre enfants, comme la famille de l'hôtel des Îles-aux-Princes, et plus que cela encore, ce dont nous venions d'avoir la révélation, c'est que vers nous aussi, un jour, un élégant monsieur étranger, discret et raffiné, viendrait s'incliner avec cérémonie et qu'il dirait alors: ‹Je vous félicite pour la tenue et pour l'éducation de vos enfants!› et que ce serait le plus beau jour de notre vie.

«À partir de là, ces enfants qu'on allait avoir, on en était sûrs, on les a complètement rêvés, idéalisés, inventés de toutes pièces. On se disputait déjà le destin d'enfants qui n'étaient pas encore nés. Moi, j'avais dit qu'ils devraient tous faire les grandes écoles de l'administration française, et comme il y en a cinq, ça tombait bien, ça en faisait presque une pour chacun. Ta mère voyait déjà leurs mariages, leurs succès, leurs promotions. Je disais ‹carrière›, elle disait ‹argent›. Je disais ‹études›, elle disait ‹diplômes›. Je disais ‹instruction›, elle disait ‹éducation›. C'était merveilleux. Tout défilait devant nos yeux, comme si une fée exauçait nos désirs les uns après les autres, et que, chaque fois que nous formulions un vœu, elle nous en offrait aussitôt le spectacle, concret, réalisé, comme une faveur, juste pour nous, parce que nous étions Raymond et Louise et que nous n'étions pas comme les autres, parce que nous avions choisi les Îles-aux-Princes pour notre voyage de noces et que les Îles-aux-Princes nous avaient montré la voie. Les Îles-aux-Princes nous avaient enseigné ce que seraient nos enfants, ce qu'ils devraient être. Les îles avaient décidé pour nous. Désormais, il n'existait pas d'autre choix possible. Sur ces enfants-là, nous savions tout d'avance, ce qu'ils diraient, ce qu'ils feraient, à chaque instant de leur vie, dans les moindres circonstances et, ces enfants-là, nous n'avons jamais cessé de les faire grandir en nous-mêmes, de les chérir, de leur parler, de les regarder évoluer, de les conseiller et de les aider. Depuis cette date, ils sont notre unique folie et se nourrissent à même cette passion de nous pour eux. Ils sont là, toujours en nous, sublimes et inaccessibles, à l'épreuve du temps et des déceptions. Nous les avons gardés dans nos cœurs, comme des idéaux de jeunesse auxquels on refuse de renoncer. Ils sont là, chair de notre chair, sang de notre sang, esprit de notre esprit, omniprésents et tout-puissants. Ils sont là, merveilleux et grandioses. »

Sur ces mots, le récit s'arrêtait brusquement. À nouveau, Raymond Fortin avait rejoint mentalement ces enfants modèles des Îles-aux-Princes et ceux, idéaux, que Louise et lui s'étaient inventés. Il restait là, les mains posées sur les genoux, immobile, avec des airs rêveurs, les yeux perdus dans le vague, la bouche légèrement crispée, le visage fermé, tandis que ses esprits vagabondaient dans les espaces les plus intimes de ses souvenirs et de son imagination. Alors, Évelyne se saisissait à son tour du flambeau des mots, de la flamme de la vie que son père tout à coup venait de lâcher. Après avoir failli céder cent fois devant le sommeil et après avoir lutté cent fois pour lui résister, après avoir attendu si longtemps pour en arriver enfin à ce moment de l'histoire où tout allait se jouer, Évelyne s'emparait avec fougue du relais en train de tomber. Les sens aux aguets, l'ouïe tendue, tout à fait arrachée à la torpeur qui la tenaillait encore quelques instants auparavant, Évelyne revenait à la vie. Elle s'animait subitement comme pour lutter contre la léthargie de son père, pour l'extraire de ses souvenirs des Îles-aux-Princes, et pour

70

le forcer à réagir et à revenir dans son monde à elle. Elle le voulait là, sur ce lit, avec elle. Elle s'arrachait à ses couvertures, redressait le buste, bougeait la tête dans tous les sens comme en proie à une exaspération soudaine. Elle cherchait un improbable interlocuteur dans le vide de la pièce. Désespérément, elle attendait un appui, un soutien, un regard compatissant et complice qu'elle eût pu échanger, comme un soulagement ou une délivrance. Cependant, elle n'était confrontée qu'au silence et au vide qui régnaient autour d'elle. De dépit, Évelyne battait les draps de ses poings fermés. Elle ne supportait pas que l'histoire puisse s'arrêter là, pas sur cette impasse, pas sur cette angoisse intolérable et injuste. Évelyne voulait savoir. Son cerveau était en ébullition et les questions se précipitaient dans sa tête, qui s'entrechoquaient, sur un ton arrogant et dur, et se succédaient indéfiniment comme pour les interrogatoires les plus violents. Elle se serait changée en bourreau s'il avait fallu. Elle aurait braqué devant elle une lumière aveuglante et crue. Elle aurait lié des mains jusqu'au sang et elle les aurait retenues au plus loin du bas du dos longuement, pour qu'on lui réponde enfin. Évelyne voulait savoir. N'importe quelle réponse lui aurait semblé préférable à ce doute qui la suppliciait. «Quand même! pensait-elle, en quelque sorte, on peut dire que vous les avez, non? On peut le dire, non? Ces enfants-là, en quelque sorte, vous les avez! Même si nous sommes trois et non quatre... Même si nous ne ferons jamais les grandes écoles d'administration... On peut le dire, non? En quelque sorte...» C'étaient toujours les mêmes questions qui surgissaient et toujours au même moment. Comme autant de suppliques, autant d'invitations à convenir d'un fait sur lequel tous s'obstinaient à se taire.

Des heures entières, Évelyne se laissait ronger par son questionnement, obsessionnel et récurrent. Il restait à l'intérieur d'elle-même et dévorait toute son énergie. Sa seule présence l'épuisait, car plus il demeurait, plus il se précisait, et plus il se précisait, plus il devenait redoutable et remettait en cause son équilibre. En aucun cas, cependant, la fille de Raymond Fortin ne se serait crue autorisée à demander des comptes sur tout cela, pas plus qu'elle ne se sentait capable de formuler ses angoisses à voix haute. Malgré son désir, elle ne pouvait se résoudre à obliger son père à se livrer plus qu'il ne le souhaitait et elle se refusait à le pousser plus avant sur la pente des confidences, des confessions et des remises en cause, si lui, de son côté, s'obstinait à s'y soustraire. Elle rêvait de spontanéité et de sincérité, d'un épanchement naturel qui aurait fait suite, comme ça, au récit des Îles-aux-Princes, comme une conclusion logique. «Tu sais, ma fille, ces enfants-là, nous les avons eus... Vous êtes là, aujourd'hui. Vous tous merveilleux. Toi, surtout, ma chérie.» Combien de fois avait-elle entendu cet aveu résonner à son oreille? Ah, bonheur, bonheur! Mais rien ne venait jamais. Évelyne restait prisonnière de ses tourments et de ses doutes, avec lesquels elle avait appris à vivre, tout comme elle vivait avec sa peur des rapts d'enfants, et tout comme son père vivait avec son épopée familiale plus ou moins inventée, ses Îles-aux-Princes de rêve et sa progéniture imaginaire. Chaque fois, Évelyne se résignait lentement, mais chaque fois aussi la désillusion était un peu plus forte. Elle attendrait. Elle regardait son père quitter la chambre comme un somnambule et elle retrouvait son calme peu à peu. De nouveau l'entouraient le silence, l'obscurité et le vide qui seuls lui tenaient compagnie et dans ce silence, cette obscurité et ce vide, à défaut d'autre chose, elle essayait des nuits durant de trouver les réponses qu'on lui refusait encore. Elle attendrait. Elle avait des années de patience en réserve. Elle savait qu'à la première occasion, elle demanderait encore à son père l'histoire du voyage de noces, celle qui commençait par.

Récit de Pierre Fortin

SOUS LES YEUX DES ENFANTS

Notre mère avait un sens aigu de la justice, mais comme elle était petite et qu'elle ne courait pas vite, elle était souvent obligée de remettre à plus tard l'application des tables de sa loi. Elle regardait alors s'éloigner d'elle prestement celui d'entre nous qu'elle avait désigné coupable et, tandis que l'innocent affichait un petit air victorieux et tranquille en pensant lui avoir échappé, elle flattait l'air d'un geste étrange et ajoutait sur un ton impassible et ferme: «Toi, mon ami, tu ne perds rien pour attendre.»

À ce moment-là, en fait, d'être vraiment son ami, on en doutait un peu, mais ce dont on ne doutait pas un seul instant, c'était que, en effet, «on ne perdait rien pour attendre». L'expression elle-même suffisait à nous effrayer. On avait beau essayer de la tourner dans tous les sens, elle restait toujours autant chargée des pires menaces imaginables. «Tu ne perds rien pour attendre», «Tu perds tout à ne pas attendre», «Tu ne gagnes rien à attendre encore». Quoi qu'on fasse, quoi qu'on décide, c'était l'impasse, un vrai labyrinthe dont nous ne sortions jamais vainqueurs. Nous savions de plus que nous ne pouvions escompter aucune clémence de la part de notre mère. Celle-ci n'oublierait pas, ne pardonnerait pas, ne renoncerait pas. Il en allait de son devoir et de son sacro-saint sens de la justice. Une sentence était une sentence, elle se devait d'appeler systématiquement son exécution, c'est-à-dire notre condamnation.

Notre mère était sujette à deux types de colère, les colères à chaud et les colères froides. Les colères à chaud, les plus fréquentes, on les connaissait bien. Elles présentaient l'avantage d'être relativement courtes et expédiées sur-le-champ.

Notre mère entrait alors dans une crise d'une violence incroyable: elle se mettait à hurler, prononçait des verdicts effrayants qu'elle regrettait secrètement par la suite, tout en refusant de l'avouer, mais qui allaient, pensait-elle peut-être, dans le sens de ses responsabilités éducatives. Elle flanquait des trempes, tirait les cheveux, utilisait tout ce qui traînait à sa portée, avec une prédilection marquée pour le manche à balai, et nous le brisait sur le dos. Le plus souvent, la scène s'achevait lorsque les protagonistes, épuisés par un tel combat, se réfugiaient dans leurs appartements, c'est-à-dire nous dans nos chambres et notre mère au salon ou à la cuisine, dans un vacarme de portes qui claquent et de jurons, avec en plus, parfois, si le cas était vraiment important, un complément punitif du genre «aller au lit sans manger», «être privé de télé» ou, pire encore, devoir «régler la suite» avec notre père. Ça, c'étaient les colères à chaud.

Les colères froides nous laissaient beaucoup plus perplexes, car elles restaient longtemps à incuber, tapies dans le pli sombre d'une rancunière mémoire, au point que, le plus souvent, à la fin, nous n'y prenions plus garde, naïvement persuadés que d'avoir échappé à une punition immédiate nous mettait définitivement à l'abri de toutes représailles, même éloignées. C'était faux, mais l'expérience ne sert à rien jamais et, chaque fois, nous nous laissions attraper. Un jour, comme ça, sournoises, imprévisibles, les vieilles rancunes rejaillissaient et nous tombaient dessus à l'improviste, nous rejoignant à n'importe quel endroit, au coin d'une rue, dans un magasin, un train, un musée et à n'importe quel moment, pendant un repas, une promenade tranquille en forêt, une discussion qui jusqu'alors avait paru paisible. Chaque fois, c'était aussi violent qu'inattendu. Un grand coup sec, comme ça, sur la nuque ou sur les joues, une bourrasque, et si nous levions les yeux, implorants, pour protester contre une si soudaine agression, notre mère nous clouait le bec d'un implacable «Tu sais pourquoi» qui n'admettait aucune réplique et fermait la porte à toute autre réaction.

Le plus souvent, en fait, l'offense était si ancienne que, justement, non, on ne savait plus pourquoi, si bien qu'un tel geste, que nous jugions déjà d'une extrême lâcheté, nous semblait en plus particulièrement injuste et cruel. Ça, c'étaient les colères froides.

Avec le temps, à force de pratiquer la colère froide qui, somme toute, demandait bien moins d'efforts que la colère à chaud tout en présentant l'avantage d'être particulièrement traumatisante pour ses victimes, notre mère avait fini par développer une nouvelle méthode de sanction, encore plus impitoyable, qui, à la mesquinerie d'un principe qui nous prenait toujours par surprise, ajoutait la blessure profonde de l'humiliation. Dorénavant, elle attendait pour agir que nous soyons en public et, avec un naturel totalement désarmant, sans aucune émotion, sans aucun préavis et surtout, semblait-il, sans motif apparent, comme ça, froidement, elle surgissait à côté de nous, ou nous attrapait au passage, et nous balançait un soufflet à nous dévisser la tête. Puis, elle reprenait tranquillement sa conversation ou ses activités comme si de rien n'était.

L'effet était foudroyant. Nous restions quelques secondes totalement figés par la stupeur et, la plupart du temps, le fait qu'il y ait des témoins à la scène augmentait tellement notre honte et notre sentiment d'injustice que nous décampions aussitôt sans demander notre reste. Nous ragions à l'idée que cette fuite systématique nous donnait chaque fois l'allure de véritables criminels, repentis et piteux, qui auraient accepté d'être châtiés parce qu'ils se savaient coupables, ce qui était tout le contraire de ce que nous pensions et de ce que nous étions. Quant aux spectateurs de ces impressionnants sévices, ils en étaient réduits à se demander s'ils n'avaient pas rêvé, tant le geste avait été rapide, et même s'ils parvenaient, ce qui était rare, à éliminer tout doute de leur esprit et à se convaincre qu'ils avaient réellement vu ce qu'ils pensaient avoir vu, ils se gardaient néanmoins d'intervenir, tout à fait fascinés qu'ils étaient alors par les méthodes éducatives de cette mère de famille qui, apparemment, avait le tour avec sa progéniture. Cependant, tout comme les règnes, les civilisations ou les tyrannies, toutes les emprises un jour ont une fin, et la domination de notre mère allait commencer à décliner précisément alors qu'elle la croyait à son apogée et qu'elle pensait même lui préparer une sorte d'apothéose.

Mon anniversaire approchait et, comme chaque année, nous avions organisé pour la circonstance une grande fête qui réunissait à la fois la famille et les amis. Or, notre mère en avait après moi depuis quelque temps et avait décidé de profiter de cette occasion pour m'infliger la plus terrible et la plus retentissante colère froide que nous ayons jamais connue.

La fête battait son plein et, sur le sol, déjà, les papiers de friandises et les verres en plastique le disputaient aux serpentins et aux emballages de cadeaux que j'avais déchirés à la hâte au fur et à mesure qu'on m'avait tendu ces boîtes enrubannées en prononçant chaque fois des souhaits et des mots gentils.

Il y avait foule.

Peu à peu, nous nous étions regroupés autour de la grande table et chacun attendait le moment traditionnel du gâteau, des bougies et tout le rituel. On m'avait juché sur une chaise pour que tout le monde me voie et quelqu'un tenait à bout de bras, au niveau de mon visage, un vaste plat sur lequel reposait l'énorme pâtisserie illuminée, si bien que les flammes brillaient dans mes yeux comme les reflets d'un feu d'artifice. À ce moment-là, notre mère s'est approchée lentement jusqu'à toucher la chaise. Elle avait un air très déterminé. Elle s'est mise sur la pointe des pieds et elle a tendu les bras vers moi, très raide, avec une sorte d'empressement, en tenant ses doigts serrés. Elle semblait agir sans joie mais sans tristesse non plus. J'ai cru qu'elle voulait m'embrasser, comme ça, pour marquer l'événement, devant tout le monde, et à cet instant, ça me paraissait tout à fait possible qu'elle veuille le faire, même si ce n'était pas dans ses habitudes, à titre un peu exceptionnel, justement, pour une fois, pour mon anniversaire, devant ceux-là qui étaient venus pour moi, pour me fêter. Alors je me suis détourné du gâteau pour un instant, et dès lors, dans ma tête, plus rien d'autre n'existait. J'avais oublié la fête, j'avais oublié les invités, je ne voyais que ses bras à elle qui étaient tendus dans ma direction, et je me suis penché vers son visage, un léger sourire sur les lèvres, en inclinant tout mon corps vers le sien. Et puis, tout est allé très vite. J'ai senti du vent autour de moi, un mouvement en spirale, un peu étourdissant, et j'ai eu chaud au visage. Très chaud, puis très mal. Les joues m'ont brûlé avec une telle intensité que j'ai eu peur, j'ai pensé aux victimes d'incendies dont on arrachait la peau par lambeaux avec des petites pinces et je me suis dit que peut-être, moi aussi, j'allais perdre ma peau, comme eux, ou comme les serpents qui muent avant de devenir tout à fait grands et tout à fait méchants.

Elle m'avait giflé. Sans prévenir, comme toujours. Sans qu'aucun indice n'ait pu laisser prévoir une telle issue. D'un geste ample et large. Deux fois. Sur chaque joue. Cérémonieuse. Glaciale et indifférente. Convaincue de la pertinence de son geste. À ce point, ce n'était plus de la colère froide, c'était de la vengeance. Elle se vengeait de moi. Du fait que je sois là, que j'existe, que je grandisse. Elle se vengeait de mon nom, de mon sexe, de mon âge, de ce que je lui avais pris et ne lui rendrais pas. Elle se vengeait de ce qu'elle s'était sentie obligée de donner sans en éprouver l'envie et qui ne fructifiait pas. Pas à ses yeux. Pas comme elle le voulait. Elle se vengeait de ses grossesses épuisantes qu'elle n'avait pas souhaitées. Des sacrifices imposés dont elle se serait volontiers passée. De ces disputes, toujours, pour un oui ou pour un non, qui l'opposaient aux siens, et surtout à notre père, jusqu'à les avoir éloignés l'un de l'autre, ce dont elle nous tenait responsables. Enfin, elle se vengeait de se sentir acculée à cette vengeance même, dont elle percevait intérieurement toute la mesquinerie, ce qui d'une certaine façon, tout à fait au fond d'elle-même, la privait d'un véritable soulagement et lui faisait éprouver une sorte de honte obscure qu'elle ne parvenait jamais à vaincre et encore moins à accepter. Après son geste, elle s'était mise à me regarder, sans haine, avec un je-ne-sais-quoi d'impassible, comme assurée d'une sorte de légitimité qu'elle aurait tenue de droit divin et qui renforçait toujours cette impression que les choses, à ses yeux, semblaient être exactement à la place qu'il convenait qu'elles soient et que le cours des événements suivait précisément celui qu'il était normal qu'il suive.

Plus rien ne bougeait. Elle comme moi étions restés figés, immobiles dans cette douleur si différente pour chacun de nous, et que nous n'éprouvions pas du tout de la même façon, mais qui nous faisait pareillement peur et dont nous ne parvenions pas à nous extraire. Personne n'intervenait. Plus un geste. Nulle part. Personne n'osait. Même les enfants. Personne.

Tout autour de nous, le silence et, pour la première fois, présente, sensible, presque concrète à force d'intensité, une réprobation massive, outrée, tellement forte qu'elle prenait possession de tout. Du lieu, des instants, des choses et des gens. Seule une femme, finalement, s'est approchée de ma mère et elle seule a parlé, comme s'il était entendu qu'elle devait servir de porte-parole à tous les autres. Elle avait une voix blanche, mais très douce en même temps, très conciliante et, rien qu'à son ton, on devinait qu'elle ne comprenait pas et qu'elle voulait justement qu'on l'éclaire. C'était tout à fait le genre de voix qu'il fallait pour s'adresser à notre mère. On sentait qu'elle voulait seulement savoir. Pas juger. Pas condamner. Savoir, c'est tout. Seulement comprendre. Elle a dit: «Mais pourquoi vous avez fait ça?» Puis elle a tenu son visage très près de celui de notre mère et, en attendant une réponse, elle s'est mise à fouiller des yeux un regard que celle-ci ne songeait même pas à lui refuser.

Quand finalement notre mère a recommencé à s'animer un peu, j'ai eu l'impression bizarre qu'elle revenait lentement à la vie après avoir subi une sorte de commotion et qu'elle avait quelque difficulté à reprendre contact avec la réalité. On lui a répété la question. Alors, après un silence, elle m'a désigné d'un geste de la tête, en levant son menton vers moi, et, sur un ton buté, en bougeant à peine les lèvres, elle a prononcé son désormais traditionnel «Tu sais pourquoi», et puis elle s'est fermée à nouveau. On aurait dit une enfant prise en défaut qui bougonnait de vagues excuses auxquelles elle savait n'accorder aucune sincérité.

Tout à coup, pourtant, ce fut comme si ça ne marchait plus, comme si ce n'était plus une raison suffisante, plus un prétexte valable. Comme si plus rien de ce qu'elle disait n'était crédible et que la raison d'être du moindre de ses gestes ou du moindre de ses mots devait dorénavant être remise en question. De partout on la regardait toujours et, bien sûr, elle sentait la réprobation, encore très forte, qui émanait tout autour d'elle. Elle semblait démunie. Perdue. Elle a essayé d'ajouter quelque chose et elle a balbutié deux trois mots à propos d'une histoire de confiture, de mensonges, de vêtements tachés, puis elle a déclaré que, de toute façon, c'était ça et le reste, ça plus le reste, et que personne ne pouvait comprendre, que c'était très ancien, que c'était très grave, très enraciné, elle a dit «jusqu'à insoutenable» et puis, à la fin, elle a répété à plusieurs reprises à voix basse des «Tu sais pourquoi» qui ne s'adressaient plus à personne, et puis cette fois, elle s'est tue tout à fait.

La fête, par la suite, s'est résorbée d'elle-même, tranquillement. Certains, préférant abréger, se retirèrent rapidement; d'autres, par convenance, peut-être, ou au nom d'on ne sait quel code ou quelle solidarité, décidèrent de rester un peu plus longtemps afin de sauver les apparences. De son côté, notre mère se contenta du strict minimum, se limitant à quelques gestes mécaniques, ne parlant presque plus, me regardant encore moins.

Il ne fut plus jamais question entre nous de ma fête d'anniversaire. Pendant un temps, notre mère ne m'adressa la parole que par l'intermédiaire de Pascal ou d'Évelyne qu'elle sollicitait à tout bout de champ: «Allez dire à votre frère que...», «Demandez à votre frère si...» Au fond d'elle-même, elle me punissait encore. Ce «votre frère» m'enlevait toute identité, me privait de toute existence. Et puis, comme il se doit, les choses se sont tassées. Le souvenir cuisant de sa dernière expérience incita sans doute notre mère à renoncer peu à peu à ses colères froides, devenues légendaires entre-temps, et nous n'eûmes plus jamais à subir ses assauts publics et différés au nom d'un implacable «Tu sais pourquoi». Dès lors, ne lui restèrent que les colères à chaud. Les violentes. Celles qu'on officiait comme de vrais théâtres, accessoires en main. Celles qui explosaient d'un coup, dans le feu même de l'action, sans préméditation, sans témoin, bien lovées au cœur de notre intimité. Dissimulées. Secrètes. À l'abri de toute désapprobation, de toute sentence extérieure et, de ce fait, à jamais soustraites à toute remise en cause. Et par chance, pour ces folles emportées-là, il lui restait Pascal.

Chapitre 2

À LA LIMITE
DE L'AMOUR

Ou comment Pierre Fortin, par le biais d'un livre suicidé,
découvrit l'hypocrisie au sein de sa famille
et les fausses amours qui régnaient
entre les membres de celle-ci.

Les autres, les grands, sont encore là-bas, deux ou trois pièces plus loin, tout au fond de cet alignement qui mène à l'extrémité de la maison. Les grands, c'est-à-dire les père et mère, oncle et tante, bref, les adultes. Eux, les petits, sont ici. Échappés à cette longue cérémonie du repas, après avoir demandé timidement si «oui, s'il te plaît», si «allez», on pouvait se lever de table. Les voici réfugiés dans la plus grande salle de cet immense rez-de-chaussée que tout le monde adore et jalouse car, lorsqu'on est visiteur, on se moque bien, en fait, de savoir qu'une surface est impossible à chauffer ou à nettoyer, et épuisante à parcourir toute la sainte journée, comme le répète sans cesse Laurence en soupirant dès qu'elle en parle.

Le grand salon, où se tenaient les enfants, achevait en apogée une longue enfilade de pièces, toutes si bien proportionnées et si joliment décorées qu'en passant de l'une à l'autre on avait chaque fois le sentiment de progresser au sein d'un lent *crescendo* qui, de l'entrée jusqu'au salon, se déroulait comme une sorte de chemin de croix dont chaque étape se révélait plus impressionnante et plus merveilleuse que la précédente. En effet, tout ici confirmait de façon éclatante que les maîtres des lieux devaient posséder d'indubitables dispositions naturelles qui leur donnaient cette assurance exquise dans l'art d'agencer les meubles, les tapis et les mille et un objets négligemment, semblait-il, disposés un peu partout. Aucun effet pourtant n'était inutilement appuyé. Rien de provocant ou d'outrancier, rien de trop voyant ou de trop exagéré ne venait heurter l'harmonie de l'ensemble. Les murs et les surfaces ne se distinguaient par rien d'exceptionnel ni de particulier, nulle extravagance, pas plus qu'aucune pièce d'art ou de manufacture n'attirait à elle seule le regard. Les meubles et les objets se complétaient et s'employaient à composer une même impression générale de beauté sans que l'un ne vienne jamais essayer de surpasser les autres d'un éclat supérieur. Aucune compétition de mauvais aloi n'avait été introduite entre les éléments de la décoration. Nulle part n'émergeait une pièce maîtresse qui aurait trôné au centre d'un petit autel aménagé à son intention pour la mettre en valeur et, au contraire, tout siégeait ici sur un pied d'égalité, parfaitement intégré. Un extrême raffinement planait ainsi sur la maison tout entière. Du sol au plafond, tout donnait les apparences d'une telle simplicité, sans rien de sophistiqué ou de prétentieux, que cela portait même à croire qu'une sorte de spontanéité avait prédominé sur tout calcul ou sur toute préméditation lors de l'aménagement, comme si tout cela n'était que le résultat d'une sorte de premier jet un peu rapide, d'un goût inné et incontestable qui s'était exprimé sans effort, à la limite de la négligence et du hasard.

Les visiteurs les plus habitués de l'endroit, ainsi que ceux qui y venaient pour la première fois, se montraient toujours particulièrement sensibles à cet environnement et, invariablement, ils se laissaient imprégner avec ravissement par cette intelligence manifeste des formes, des styles et des couleurs, par cette élégance généralisée qui faisait du bien, et tous prenaient quelques secondes pour se repaître de cette impression de parfaite cohérence que suscitait la décoration dans chacune des pièces où ils pénétraient. À les voir agir ainsi, on aurait même pu imaginer que certains venaient ici spécialement pour ça, pour cette chose qu'on admirait dans ces murs et qu'on allait même jusqu'à jalouser, ce qui poussait les mauvaises langues à prétendre, excédées, que l'endroit seul finalement était responsable de tout, qu'il devait dicter sa loi et qu'il n'y avait qu'à se laisser guider par elle, qu'à écouter ses commandements sans avoir à intervenir, si bien que les propriétaires, dans le fond, n'étaient responsables de rien.

De toutes les pièces, chacun préférait le grand salon depuis toujours. Comme il fermait le rez-de-chaussée de ce côté-ci de la bâtisse, c'était là tout naturellement qu'on venait se réfugier pour trouver la paix et l'isolement, et là également que les courses les plus folles, tout comme les marches les plus décidées ou les errances les plus hasardeuses, trouvaient un terme obligatoire, dans une sorte d'aboutissement suprême. Et puis, ce grand salon, on l'aimait surtout à cause de son immense cheminée, qu'on allumait régulièrement pour chasser l'humidité, et qui était un vrai spectacle; on l'aimait pour ses divans profonds disposés en carré, et aussi à cause des bibelots partout, des livres sur les étagères, du petit bar dans un coin, dont certaines bouteilles restaient à prendre la poussière indéfiniment alors qu'elles étaient vides depuis longtemps. Enfin, on l'aimait également parce qu'il abritait l'unique meuble à musique de la maison, avec toutes les piles de disques entassés pêle-mêle à ses pieds.

En cet instant, comme partout à l'étage, la pièce respire la paix et l'harmonie. Tout est calme et serein, à l'image de la petite famille qui habite ces lieux, le couple Laurence et Maurice, ainsi que Patricia, leur unique enfant. Chez ces trois êtres rien ne se voulait ordinaire. Ils occupaient une maison qui savait se faire remarquer et il fallait qu'il en soit ainsi pour tous les autres aspects de leur vie. Aucun d'entre eux n'aurait pu supporter l'idée de s'abaisser un jour à rejoindre le rang des masses populeuses et populaires dont le quotidien est placé sous le signe de la norme et de la banalité. Il leur fallait toujours se distinguer, faire différemment des autres et, mieux encore, servir de repères ou devenir un point de comparaison. Plus que tout, ils aimaient à se convaincre qu'ils ne passaient pas inaperçus et qu'ils suscitaient l'admiration de tous ceux qui croisaient leur route. Ils s'imaginaient avec plaisir qu'on les enviait en secret, qu'on imitait leurs gestes et leurs attitudes, qu'on copiait leurs goûts, leurs vêtements et qu'on s'inspirait d'eux en tous points pour bâtir des modèles. Dans la famille, notamment, le couple avait ainsi acquis depuis longtemps le statut de référence permanente.

On louait Laurence et Maurice pour la bonne entente qui régnait entre eux, la chaleur de leur foyer et pour leur sens du partage et de l'amitié. On s'émerveillait sans retenue devant ce spectacle magnifique et élégant qu'ils donnaient d'eux-mêmes et on ne se lassait pas de contempler toute cette imagerie de l'union idéale qui flottait autour d'eux et qui leur collait à la peau comme si la panoplie complète du couple amoureux des romans à l'eau de rose avait été créée sur mesure à leur intention.

Aussi loin pouvait-on reculer, dès leur première rencontre même, Laurence et Maurice semblaient déjà s'être glissés comme dans une seconde peau dans le moule idyllique et tant convoité du bonheur conjugal. Non seulement y étaient-ils parvenus parfaitement, mais en plus ils avaient l'impudence de l'avoir fait avec cette facilité désarmante qui avait le don d'exaspérer, jusqu'à les rendre méchants, tous ceux-là qui précisément souffraient un quasi-martyre en s'employant depuis toujours à cette même tâche mais en vain. Autant, en effet, les deux corps enlacés de Laurence et Maurice remplissaient-ils comme par magie et jusqu'au moindre de ses contours ce moule étroit et sophistiqué, autant en épousaient-ils les formes alanguies et paresseuses sans omettre aucun creux ni repli, autant de nombreux autres en revanche tout autour d'eux s'efforçaient-ils depuis toujours d'y glisser ne serait-ce que la pointe de leur pied nu, mais sans plus de succès que les sœurs de Cendrillon avec sa chaussure de vair. Or, parmi ces malheureux qui tentaient régulièrement leur chance devant le magnifique objet de toutes les convoitises, figuraient justement en bonne place Louise et Raymond Fortin.

De l'avis général, des deux sœurs débarquées la même année de leur Méditerranée natale pour suivre leur père affecté en Allemagne occupée, seule Laurence semblait véritablement avoir été gâtée par le sort. Toutes les deux pourtant avaient choisi époux parmi ces jeunes officiers fringants que la France détachait alors par centaines dans la Sarre et qui faisaient l'admiration des jeunes filles, mais force était de constater qu'elles n'avaient malheureusement pas connu la même fortune. Ainsi, à peine quelques années plus tard, seule Laurence menait encore cette existence douceureuse à laquelle rêvaient depuis l'adolescence toutes les jeunes filles d'alors, prince charmant à l'appui, et qui correspondait un tant soit peu au profil de ce que l'on pourrait appeler le statut de la parfaite épouse comblée. Quant à sa sœur, avec son Fortin...

On l'avait prévenue pourtant, Louise. Dès le début. Tout le monde se moquait de ce Raymond Fortin, de ses prétentions, de son physique sans allure. On ne savait pas très bien pourquoi, mais cet homme-là n'inspirait pas confiance. Quelque chose en lui laissait soupçonner un caractère fourbe. Ses propos et ses manières révélaient une ambition que certains jugeaient déjà excessive et chacun de ses gestes, chacune de ses décisions ne semblaient motivés que par un égocentrisme forcené. On le trouvait difficile de contact. Un malaise flottait autour de sa personne, ce à quoi le père de Louise surtout s'était montré sensible. Malheureusement, cette distance n'avait jamais diminué, au contraire. À cause d'une tache qu'il avait au coin du nez, ses collègues militaires l'avaient surnommé dans son dos «L'homme à la verrue», ce qui avec le temps n'avait que renforcé cet isolement et cet aspect singulier qui le caractérisaient. Quoi qu'il en fût, Louise se moquait de la verrue. Elle ne croyait pas aux mauvais pressentiments et elle avait épousé son Raymond.

Quelques mois plus tard, alors que la Sarre avait exprimé clairement par référendum son refus de devenir un nouveau département français, les quatre jeunes mariés avaient quitté l'Allemagne d'un même élan. Laurence et Maurice s'étaient installés en Touraine dans une vieille ferme restaurée où ils vivaient au-dessus de leurs moyens tout en suscitant l'envie de leur voisinage, ce qui à leurs yeux pouvait bien justifier les dépenses les plus folles, tandis que Raymond et Louise, très raisonnables, découvraient les joies du «cinq-pièces cuisine» dans une tour grisâtre des premières banlieues dortoirs en Île-de-France. Aujourd'hui, on voyait bien ce que cela avait donné. Il suffisait de les observer vivre. Laurence filait toujours le parfait amour, sacrée reine du foyer, choyée par

Maurice et adulée par sa fille unique, alors que Louise Fortin, déjà trois fois mère, se dévouait pour chacun sans répit et sans salaire, sous la férule d'un Raymond qui capitalisait et l'exploitait plus qu'à son tour. Ainsi, les présages tant redoutés n'avaient-ils pas tardé à s'avérer justifiés. «L'homme à la verrue» ne s'était pas révélé le mari idéal dont avait rêvé Louise, innocente et naïve. Il ne le serait jamais. Dans la famille, cette seule évocation suscitait une telle consternation qu'elle suffisait à faire taire même les langues les plus redoutables qui s'épuisaient sur ce navrant constat.

Il ne fallut pas longtemps à Louise et Raymond Fortin pour découvrir que la vie dans un appartement de la banlieue parisienne n'avait rien de comparable avec la vie champêtre dans une vieille ferme de Touraine. Aux uns les inconvénients d'une ville à peine construite où manquaient encore les équipements de base de la vie moderne, aux autres le charme d'un petit village séculaire qui savait vivre en autarcie et fournir de tout en quantité suffisante. Aux uns les trajets épuisants vers Paris ou vers la banlieue et les engorgements sur les routes à toute heure du jour et de la nuit, aux autres le travail à la porte même de la maison et une extrême facilité de circulation en tout temps et en tout lieu. Aux uns la boue épaisse et jaune des chantiers dès qu'ils quittaient leur immeuble, car ni les trottoirs ni les chaussées n'étaient encore terminés puisque tout ici était en construction, aux autres la terre franche et grasse des petits sentiers de campagne qui serpentaient à travers champs. Aux uns les hurlements des voisins qu'on entendait au travers des cloisons, l'agitation et le stress du soir au matin, aux autres le chant des oiseaux à longueur de journée, un rythme de vie calqué sur la progression des saisons, la migration des animaux, l'éclatement des bourgeons et la pousse des plantes. Aux uns une surface réduite et mesurée dans laquelle tous vivaient à l'étroit, aux autres les grands espaces des plaines vallonnées de Touraine. Et la liste pouvait s'allonger ainsi indéfiniment...

Malgré tout ça, les Fortin ne se plaignaient pas. Ils n'en avaient pas le droit. Il fallait «penser au Biafra», disait Louise.

«C'est ça», ajoutait Raymond Fortin. «Au royaume des aveugles, bien sûr...» Il n'allait jamais plus loin tellement il se comprenait. En fait, tout le monde le comprenait et, autour de lui, on finissait la phrase mentalement... «Au royaume des aveugles, les borgnes sont rois.» Ce qui signifiait que, même borgne, on pouvait se déclarer roi à condition de trouver pire que soi, et pire que la vie des Fortin, certes, cela existait. Il y avait le Biafra! Mais s'il existait pire, il y avait mieux aussi, et cela était insupportable, surtout lorsque Raymond Fortin prenait conscience que ce mieux, hélas, Laurence et Maurice l'incarnaient avec toute l'insolence qu'on leur connaissait. C'en était trop, et quitte à jouer le rôle des aveugles au royaume des borgnes, les Fortin se précipitaient chaque fois dès qu'ils en avaient l'occasion vers la ferme de Touraine, histoire de fuir leur banlieue, de se ressourcer un peu aux grands espaces et de faire le plein de soleil, de calme, d'air pur et de silence dans la somptueuse maison de la parenté. La Touraine, depuis toujours, n'avait-elle pas la réputation d'être le jardin des rois? Il n'était que temps d'en profiter.

Les Fortin au grand complet quittaient ainsi leur gris paysage du nord à bord de la Citroën de Monsieur, et il fallait bien dire de Monsieur car, en ces temps-là, les voitures appartenaient d'abord aux hommes et ensuite seulement, peut-être, à leur famille. On entassait les bagages dans le coffre, un peu pêle-mêle, et les enfants s'engouffraient par les portières étroites en se bousculant et en poussant des cris étouffés. Pendant ce temps, Louise pliait scrupuleusement ses vêtements les plus délicats qu'elle étendait ensuite avec amour au-dessus de la banquette arrière. Le trajet n'était pas long. Quelques heures de route suffisaient pour se rendre dans le jardin des rois, mais ces quelques heures viraient infailliblement au cauchemar. Les enfants s'ennuyaient à mourir dès les premiers kilomètres. Pascal tuait le temps en jouant à pincer la cuisse d'Évelyne tout en s'obstinant à dire que ce n'était pas lui et Évelyne vivait ainsi un véritable martyre. Il l'obligeait à se tenir assise exactement dans un espace très réduit délimité par deux coutures de la banquette, sur sa droite et sur sa gauche, et dès qu'une des jambes de la malheureuse avait l'impertinence de dépasser un tant soit peu des limites imposées, il se saisissait sans se faire voir d'un minuscule pli de chair qu'il écrasait violemment entre ses ongles. Évelyne sursautait à chaque meurtrissure et poussait des hurlements aigus qui trahissaient l'intensité de sa souffrance. Elle se tournait vers Pascal, le visage chargé d'une vive indignation, mais celui-ci inventait aussitôt, et avec un sérieux déconcertant, toutes sortes d'histoires plus ou moins vraisemblables qui égaraient totalement la vigilance de sa jeune sœur. Il racontait qu'une mauvaise bête vivait dans les replis en plastique de la banquette, qu'elle était la gardienne des voyages en voiture et qu'elle devait faire respecter les surfaces de siège qui étaient attribuées à chaque enfant. Il la décrivait comme une sorte de petit crabe avec des pinces très longues et très pointues, des yeux énormes et ronds qui pouvaient voir partout à la fois et une incroyable facilité à se déplacer à l'intérieur des banquettes en mousse, dont elle se nourrissait par ailleurs. Il ajoutait qu'elle surgissait toujours à l'improviste, dès qu'elle constatait une irrégularité, qu'elle n'avait de pitié pour personne et qu'elle punissait de la même façon tous ceux qui contrevenaient aux lois du voyage. Évidemment, il la disait immortelle et il assurait qu'il était complètement impossible d'échapper à sa justice. Le seul moyen d'avoir la paix demeurait donc de se soumettre en tous points aux commandements de sa volonté. Les yeux écarquillés, ne sachant que croire, Évelyne serrait les cuisses de toutes ses forces, le plus longtemps possible, pour rester bien assise sur l'étroite bande de plastique qu'on lui avait assignée. Pleine de bonne volonté, elle sombrait alors dans des abîmes de perplexité jusqu'à ce que, au premier relâchement, une nouvelle torture vienne l'extraire violemment de sa rêverie. Et c'était reparti pour un tour...

Au volant, Raymond Fortin surveillait la scène dans son rétroviseur. Il n'entendait pas les histoires de Pascal, mais les hurlements d'Évelyne et ses airs ahuris lui faisaient deviner une mauvaise farce. À son tour, il ne tardait pas à se montrer exaspéré. Il vitupérait son épouse et l'incitait à intervenir avant qu'il ne soit trop tard et qu'il ne le fasse lui-même. Louise alors se retournait d'un coup pour «flanquer une volée» aux garçons, espérant calmer à la fois les ardeurs du père et celles des enfants. Un silence relatif tombait sur la scène. Plus ou moins retenus, les pleurs de Pascal couvraient le ronronnement du moteur et Évelyne, devenue tout à coup très calme, le contemplait tranquillement avec quelque chose de satisfait dans le regard.

Quelques kilomètres passaient. Pour détendre l'atmosphère, Louise proposait de chanter. Elle aimait les chansons, celles de Régine tout particulièrement, la reine de la nuit des cabarets parisiens, et de toutes ses chansons, plus que tout, elle aimait *Azzuro*. C'était infaillible. Quand Louise disait qu'elle allait chanter, cela voulait dire qu'elle allait chanter *Azzuro*, le seul succès dont elle connaissait les paroles par cœur. Elle entamait le premier couplet d'un ton joyeux et les trois enfants devaient répéter après elle. «Nous somme-z-un couple bizarre...!» lançait-elle à la cantonade. Dès les premières notes, toutes les tensions s'envolaient. Les enfants Fortin adoraient quand leur mère chantait et toute la banquette arrière reprenait en écho «Vous êtes-z-un couple bizarre...!» Alors, Raymond fusillait sa femme du regard. «Tu n'as rien de plus intelligent à leur faire chanter? Tu te rends compte de ce que tu dis?» Et Louise se rendait compte. Le «couple bizarre» ne passait pas. L'ordre moral avait tranché. L'insouciance n'était pas de mise. Louise pinçait ses lèvres et sautait le couplet interdit pour passer directement au refrain. Déjà, sa joie et sa spontanéité étaient altérées. Le cœur n'y était plus. Sa voix se faisait toute petite, mélancolique, et elle chantait la suite comme elle aurait chanté une berceuse, presque pour elle-même:

«*Azzuro*, le ciel est bleu comme l'*azzuro*, en Italie
Azzuro, mais à Paris il pleut des cordes, et je m'ennuie
Alors, je me fabrique un train de rêve, qui va, qui va vers toi
Mais le train me laisse en route, et chaque soir je rentre à pied chez moi...»

Cette fois, les enfants ne chantaient plus avec elle. Le temps semblait arrêté. Chacun s'évadait en pensée. Le paysage défilait tranquillement sur les bords de l'autoroute. La voiture avançait comme sur un long déroulement de nuages, sans frottement. Tout était doux. L'air redevenait respirable. C'est alors que Pierre Fortin annonçait qu'il était malade et qu'il fallait s'arrêter.

En voiture, c'était chaque fois la même comédie, Pierre ne se sentait pas bien. Par peur des réprimandes, il essayait toujours de dissimuler son mal le plus longtemps possible, mais ses vertiges ne cessaient pas pour autant et il arrivait toujours un instant où il devait se résigner à sonner l'alarme. Aussitôt, Raymond Fortin s'emportait de nouveau. La perspective qu'on puisse vomir dans sa voiture le rendait fou d'inquiétude. Il s'alarmait qu'on ne puisse jamais s'arrêter où l'on voulait sur ces fichues autoroutes et découvrait soudain à la lecture d'un panneau que la prochaine aire de repos était encore à dix kilomètres. Son inquiétude augmentait d'un cran. Dans un véritable état de panique, il suppliait Pierre pour qu'il tienne absolument, le menaçant, autrement, d'avoir affaire à lui. Après son fils, il prenait Louise à partie et l'accusait de ne pas avoir pensé aux calmants pour les maux de voyage. «Avec ce foutu gosse, disait-il, c'est toujours la même affaire. C'est à croire qu'il le fait exprès!» Louise servait de médiatrice. «Allons, disait-elle, tu sais bien qu'il n'y est pour rien. Il est toujours malade, en voiture. C'est à cause de ta Citroën. C'est vrai... Dans les autres voitures, ça va bien. Si tu avais une Renault, par exemple, ou une Peugeot, ça irait... mais les Citroën, tu le sais, il ne les supporte pas. C'est les pires de toutes.» Elle prenait, pour excuser son fils, exactement le ton qu'elle aurait pris pour intercéder pour elle-même. Elle parlait avec lenteur, essayant d'user de toute la conviction dont elle était capable pour désamorcer un conflit, mais Raymond Fortin ne se calmait pas. Le fait qu'on puisse qualifier sa Citroën de «pire de toutes» ne faisait que l'exaspérer encore plus. Il en voulait à la Terre entière. On l'entendait bougonner longuement et de temps en temps les prénoms de Pascal et de Pierre surgissaient au beau milieu de sa logorrhée, articulés avec rage. La tension ne tombait pas. Docile, Louise intervenait de nouveau. Ramener son époux à la raison en toutes occasions faisait partie des tâches qu'elle s'était attribuées et qu'elle pensait être la seule capable de mener à bien. Ses résultats pourtant s'étaient toujours avérés plutôt mitigés jusqu'alors. Raymond, lui, aurait aimé être contré, qu'on l'interrompe dans son épuisant débit, mais Louise s'obstinait à faire tout le contraire. Persuadée que donner raison à quelqu'un finissait forcément par le calmer, elle ne savait qu'abonder dans son sens, appuyer ses idées indéfiniment, les reprendre et les commenter jusqu'à radoter, ce qui avait le don d'énerver Raymond plus que tout. Louise revenait alors sur la question des garçons, leur éternel problème. «C'est vrai que ce serait mieux sans eux, ajoutait-elle, mais bon, puisqu'on les a, on va pas les mettre à l'Assistance. Et puis, maintenant, ils commencent à grandir, n'est-ce pas? Pascal peut commencer à surveiller son frère et sa sœur. Ça nous laisse un peu de répit, tu ne trouves pas?» Non, Raymond Fortin ne trouvait pas, son seul répit, c'était Évelyne, elle seule comptait et la conversation continuait ainsi, plus ou moins soutenue, jusqu'à ce que le voyage touche à son terme, car le jardin des rois n'est pas au bout du monde, et il fallait bien, à un moment ou à un autre, qu'ils soient enfin arrivés et que la voiture s'arrête.

Aujourd'hui justement, la famille Fortin est en visite dans la maison de Touraine. Dès que l'automobile est entrée dans le domaine et que le bruit du moteur s'est fait entendre à l'intérieur des murs, Laurence et Maurice sont sortis sur le perron pour accueillir leurs invités. Ils leur ont demandé à tous s'ils avaient fait un bon voyage et tous ont répondu en chœur comme de petits automates qu'ils avaient fait un merveilleux voyage, en appuyant bien sur le début de «merveilleux». Laurence a embrassé sa sœur et son beau-frère. Maurice a serré des mains. Tous sont entrés dans la maison en s'assurant alors avec des airs convaincus que, décidément, ils ne se voyaient pas assez souvent, que cela faisait une éternité qu'ils n'étaient pas venus et que c'était bien trop long.

On était ensuite passés à table très rapidement pour restaurer tous ceux qui mouraient de faim et dont l'appétit devait déjà être bien aiguisé. Maintenant, là-bas, le grand repas de midi est en train de s'achever lentement et oscille interminablement entre fromage et dessert. On n'en finit plus d'attendre le café, et peut-être le pousse-café. Les serviettes sont chiffonnées en boule à côté des assiettes, les chaises repoussées de la table comme pour respirer mieux. Les idées sont devenues un peu floues au fil des conversations. Il a encore fallu éviter tant de sujets pour ne froisser les susceptibilités de personne qu'à la fin, forcément, on ne sait plus trop de quoi parler.

Dans la pièce du fond, de l'autre côté du rez-de-chaussée, les enfants n'ont plus à subir les angoisses de la table des négociations. Ils entendent à peine les discussions de leurs parents et les adultes leur semblent si loin qu'ils se sentent enfin libres de bouger sans se soucier à chaque seconde des conséquences de ce qu'ils viennent de faire ou de dire. Du regard, ils balaient tout cet espace à leur disposition, auquel ils ne sont pas habitués. Que faire? La cousine Patricia possède bien des trésors de jeux et de jouets entassés dans les armoires de sa chambre, mais depuis que Pascal avait reçu une raclée parce qu'il avait été soupçonné – et seulement soupçonné! – d'avoir brisé une petite voiture de pompiers que Maurice avait offerte à sa fille, les jouets de Patricia semblent désormais totalement inaccessibles. L'incident avait fait date et tout le monde se souvenait à présent avec terreur de cet objet très sophistiqué, sirène et tuyau d'arrosage intégrés, modèle réduit d'un original non moins sophistiqué du début du siècle que le père de Patricia avait trouvé chez un antiquaire avant de le ramener fièrement à la maison. «Quelle idée aussi d'offrir des antiquités en cadeau à des enfants!» avait prétendu Louise au moment du drame, mais le silence qui avait suivi sa remarque lui avait rapidement fait comprendre que ses propos n'avaient pas suscité l'approbation générale. On s'était plutôt empressés d'inventer aux trois enfants Fortin pris en bloc une réputation de brise-fer, tandis que Raymond et Louise s'apitoyaient sur eux-mêmes en déplorant longuement les coups du sort qui leur imposaient sans cesse toutes ces épreuves. Pourquoi de telles humiliations leur étaient-elles toujours réservées? se lamentaient-ils à voix haute et en public. Puis, pour toute réponse, ils en étaient arrivés à interdire formellement à leurs enfants de toucher quoi que ce fût qui appartînt à leur jeune cousine, et tant qu'à y être, il leur fut même recommandé de ne rien toucher du tout dans l'ensemble de la maison, à moins d'une absolue nécessité. Le tout, bien entendu, avait été accompagné de la promesse de terribles représailles en cas de désobéissance.

Depuis que ce verdict était tombé, les jeunes Fortin se sentaient aussi à l'aise que des éléphants dans un magasin de porcelaine. Ils déambulaient dans la maison terrorisés par les éventuelles conséquences de leur plus simple geste, effleurant chaque chose du bout des doigts et se gardant bien de tout mouvement intempestif. Seule Patricia avait tiré bénéfice de la nouvelle situation. Elle avait découvert avec étonnement à quel point les adultes prenaient au sérieux la défense de ses intérêts et elle s'était sentie flattée par les mesures qui avaient été prises. En son for intérieur, cette constatation l'avait grandie. Elle s'était découvert une importance dont ses cousins étaient dépourvus et qui la plaçait, croyait-elle, un cran au-dessus d'eux, la propulsant au sommet d'une sorte de hiérarchie imaginaire qui lui conférait des fonctions et des responsabilités nouvelles. Elle se voyait investie d'un pouvoir qui lui commandait de veiller sur le comportement de ses cousins et de devenir à leurs côtés le relais de l'autorité des adultes. Elle les suivait partout et, une fois installée avec eux dans la même pièce, elle les gardait à l'œil en permanence, prête à rapporter en haut lieu leur plus petit écart de conduite. Ainsi les jeunes Fortin passaient-ils de Charybde en Scylla, n'échappant à l'intransigeance des adultes que pour tomber sous la domination de leur cousine.

Pour l'instant, Patricia et Évelyne jouent tranquillement, retirées dans un coin de la pièce. Elles ne veulent pas de garçons avec elles. Pierre et Pascal sont tenus à distance respectueuse. À cet âge-là, on a le sens de l'exclusion, c'est

«Les filles avec les filles, les garçons avec les garçons» et tout le monde est d'accord avec ce principe. La phrase circule comme un refrain autant dans la bouche des deux cousines que dans celle de leurs mères. On l'ânonne, on la chantonne. C'est une vraie devise. «Les filles avec les filles, les garçons avec les garçons». Du moins, tant que ça arrange Évelyne et Patricia, c'est-à-dire tant qu'elles sont bien toutes seules. Autrement, si par hasard elles ont besoin d'être aidées pour porter un fardeau, ou si elles veulent être protégées de quelque chose, alors là le précepte ne tient plus. Aussitôt, on appelle et on crie. Seul et isolé, Pierre Fortin s'ennuie. Patricia et Évelyne ont l'air de s'amuser ferme. Leurs éclats de rire fusent à répétition autour de lui. Voudraient-elles le narguer et souligner sa solitude qu'elles n'agiraient pas autrement. Elles savent très bien que Pierre et Pascal n'ont guère de points communs et que les renvoyer l'un vers l'autre consiste en fait à les placer dos à dos. Pascal reste des heures enfermé dans son monde intérieur. Silencieux, il rêve en feuilletant le premier livre qui lui est tombé sous la main, le pouce enfoncé dans la bouche malgré son âge. Pierre Fortin pense qu'on devrait inventer un moyen pour se transformer en fille au besoin, comme ça il pourrait rejoindre sa sœur et sa cousine pour jouer avec elles chaque fois qu'il en aurait envie.

C'est alors qu'une voix forte parvient de l'autre côté de l'enfilade des pièces.

— Les enfants, il reste du dessert pour ceux qui en veulent!

C'est Laurence.

Aussitôt, les deux filles et Pascal se relèvent et partent en courant vers la salle à manger. Les desserts de Laurence ne se ratent pas.

Pierre Fortin n'a plus faim. Il reste là où il est. De toute façon, les desserts ne l'ont jamais intéressé. «Le sucré, c'est pour les bébés!» Encore un précepte institué par Louise. Pour se dérouiller les jambes, il marche le long de la très vaste bibliothèque qui suit le contour des murs, de pièce en pièce, dans presque toute la maison, et qui s'infiltre partout, épouse les formes des parois, les piliers, les recoins engoncés et s'insinue même derrière les portes et autour des fenêtres. Les livres s'empilent du sol au plafond et même le plus petit espace n'est pas épargné. Pierre Fortin peut partir d'un point de la bibliothèque en posant sa main sur une étagère et revenir exactement au même point sans que sa main n'ait touché autre chose que des livres. Il fait ainsi un tour complet du rez-de-chaussée. Tous ces livres! Cet enchaînement sans fin... Il est totalement fasciné. Il pense aux maigres petites planches de bois qu'il a déjà aperçues dans certains appartements et qui supportaient avec peine quelques livres épars, disséminés au milieu de bibelots bon marché. La bibliothèque de Laurence et Maurice n'avait vraiment rien à voir avec ces fragiles constructions, prétendument décoratives et de morne apparence. Ici, les livres étaient en vie. Ils n'étaient pas choisis pour l'éclat de leur couverture et abandonnés ensuite à jamais au fond d'une niche obscure. Ils avaient une âme et leurs âmes avaient pris possession de la maison tout entière. Pierre Fortin les sentait, esprits furtifs qui s'infiltraient partout autour de lui.

Admiratif, le jeune garçon frôle les murs, ralentit, s'étonne, puis reprend sa marche. La bibliothèque est un manège qui lui tourne la tête et le ramène sans cesse au même point. Étourdi, Pierre Fortin laisse courir sa main au fil des planches en bois. Le contact avec la matière est chaud et invitant. Son regard erre sur tous ces livres, serrés les uns contre les autres et qui, si semblables et si différents, n'offrent qu'une infime partie d'eux-mêmes à la lumière. Tout en poursuivant sa course, Pierre Fortin balaie rapidement des yeux les minces reliures de carton ou de cuir et essaie de déchiffrer chaque fois le titre de l'ouvrage et le nom de son auteur. C'est un jeu, une distraction comme une autre, et qui n'est pas aussi simple qu'il y paraît. Il faut faire vite, car l'enfant marche à bon pas et les livres, si étroits, défilent à vive allure. Certains noms surgissent d'emblée, faciles à reconnaître, dans un ordre anarchique. Maupassant. Proust. Gilbert Cesbron. Hervé Bazin. François Mauriac... Pierre Fortin les a tous déjà entendus plusieurs fois. Il n'a pas tout lu, bien sûr, mais l'univers des livres lui semble familier depuis toujours. Un prénom, une initiale, le début d'un titre, et voici qu'il complète le reste. Il n'a même pas besoin de déchiffrer jusqu'au bout. Les mots revivent sans effort. *Une abeille contre la vitre. L'Huile sur le feu. Le Nœud de vipères.* À côté de ces titres déjà apprivoisés et de ces noms qu'il devine plus qu'il ne les lit, d'autres mots en revanche surgissent du néant le plus profond, mystérieux et sombres, incertains et imprécis. Capricieux comme des animaux revêches, voici que plusieurs d'entre eux à présent se dérobent, comme volontairement, dirait-on. Voici qu'ils refusent de se donner du premier coup, pudiques et fiers. Ils refusent de se livrer au visiteur inconnu. Pierre Fortin trébuche sur une multitude de consonances étrangères. Autant de noms nouveaux qu'il se promet de retenir, qu'il faudra séduire, rassurer, avant de les adopter tout à fait. Comme ils sont nombreux... Butor. Duras. Henry James. Nathalie Sarraute. Un certain Robbe-Grillet. Le domaine de la connaissance se révèle tout à coup infini devant le jeune Fortin et cette étendue lui semble aussitôt impossible à couvrir tout entière. Une vie y suffirait-elle? Tant pis. Il n'a pas peur. Il veut se les approprier tous, les faire siens un jour ou l'autre, et il marche toujours, tout au long de l'impressionnante et infernale succession des pages écrites.

Le regard braqué sur le côté, les yeux fixes, Pierre Fortin poursuit sa singulière prospection et progresse du même pas, sans jamais ralentir. Les titres et les noms défilent à un rythme soutenu, souvent trop longs ou écrits trop petit pour être saisis d'un seul coup d'œil. Pierre Fortin en rate plusieurs d'un coup. Des groupes entiers de plusieurs volumes lui échappent en série, comme des blocs opaques et anonymes qui s'obstinent à garder le silence. Pierre Fortin se réprimande intérieurement. Il s'invente des pénalités. «Si j'en trouve pas au moins deux sur la prochaine étagère, je promets de prendre la place d'Évelyne dans la voiture pour le trajet du retour...» Il compte ses points, se fixe des objectifs. Plus il en rate, plus il redoute de ne pas relever le défi qu'il s'est imposé, de ne pas être à la hauteur de son propre jeu. Il sent une pression qui enserre sa poitrine. Il fait ainsi plusieurs fois le tour de toutes les pièces du rez-de-chaussée. Il se met presque à courir sans s'en rendre compte. Une sorte d'ivresse s'empare de lui et le fait respirer plus fort. Son corps se soulève au rythme de ses pas. Il reconnaît les mêmes livres qui surgissent un par un sur sa route. Voici de nouveau *L'Huile sur le feu*, de nouveau *Le Nœud de vipères*. Nathalie Sarraute. Henry James. Tout va plus vite. Il décide maintenant de lire les titres et les noms des auteurs à voix haute. Il jette ces mots dans un souffle, tout en courant, il les crie comme une chanson. Roger Vaillant! Yves Navarre! Annie Saumont! Il évite au passage les obstacles que rencontrent ses jambes. Il se balance. Tout va encore plus vite. Il projette son regard droit devant lui pour aller chercher les livres le plus en avant possible. Il veut rattraper le retard que prennent inéluctablement ses yeux par rapport à sa marche. Il scrute les lettres à peine commencent-elles à prendre forme, aussi loin qu'il le peut, mais tout est trop rapide et elles disparaissent presque aussitôt, loin derrière lui. Il rate de plus en plus de livres et n'essaie même plus de déchiffrer leurs titres. Il crie les mêmes noms, comme ça, pour le plaisir, pour accompagner sa course. Roger Vaillant! Yves Navarre! Annie Saumont! Il est emporté par le tourbillon des livres, il les frôle du bout des doigts et laisse traîner sa main derrière lui qui dessine, dans la poussière des étagères, un fin filet brillant là où l'éclat du neuf apparaît de nouveau, pâle et renaissant.

Et voici alors, tout à coup, que Pierre Fortin a le pressentiment, comme en transe, d'un bouleversement qui va briser ses jours. Voici qu'il a l'intuition que quelque chose autour de lui est hostile à son bonheur. Une présence, étrangère à son univers, le menace et le met en péril. Une chose est là, qui lui échappe et qui va intervenir. Une chose qui n'en peut plus de se taire, de se dissimuler et qui a décidé de surgir à cet instant dans sa vie, dans sa vie si jeune encore, au mépris des ravages qu'elle sait provoquer, au mépris de ce qu'elle tue, de ce qu'elle abîme, au mépris des conséquences qu'elle entraîne, comme la perte de l'innocence et de la naïveté. Cette chose est proche désormais. Elle est là, déjà, prête à bondir en pleine lumière, comme une bête tapie dans la jungle qui guette longuement sa proie avant de lui tomber dessus et de l'écraser de sa masse hirsute et suffocante. Alors même qu'il la pressent de façon si précise et si claire, Pierre Fortin sait qu'il ne fera rien pour être épargné par cette révélation dont il mesure déjà toute la force et la tourmente. Il sait qu'il va la laisser fondre sur lui, qu'il lui donnera à même son corps toute la place qu'elle exige et qu'il l'accueillera sans se plaindre, sans songer un seul instant à la fuir ou à la contrer. Il ne se détourne pas. Sans ralentir sa marche, il avance au-devant de son destin. Sa main court toujours sur son côté et il crie avec la même ivresse les noms d'une chanson inventée. C'est alors que, derrière lui, un livre se met à chanceler.

Pierre Fortin se retourne aussitôt et tend son bras sans même savoir vers quoi pour empêcher l'irréparable, mais trop tard. Le corps immobile, comme à l'arrêt, son regard, guidé par un secret instinct, se fixe d'emblée sur la source de ce désordre, là, juste à quelques pas de lui. Tout en haut de l'immense bibliothèque, un gros livre relié s'extrait lentement des rayonnages. Pierre Fortin le voit hésiter quelques secondes sur le rebord du meuble, comme un athlète sur son plongeoir qui scrute le fond de la piscine avant de s'élancer vers le bleu flou des eaux, puis le livre bascule en silence, pages ouvertes, effeuillé par les masses d'air que sa chute déplace. Pierre Fortin ne s'explique pas ce qui arrive. Seul un choc intense aurait pu déstabiliser le meuble au point d'en faire tomber les plus gros livres. Or, il ne s'est cogné nulle part. Il ne s'est rien passé dans la pièce, ni secousse ni courant d'air violent, et pas une seule fois il ne s'est aventuré à toucher quoi que ce soit sur ces étagères si hautes et si proches du plafond que même sur la pointe des pieds il n'aurait pu les atteindre. Pierre Fortin s'interroge. Est-il possible qu'une intention malveillante ait volontairement placé le livre en équilibre précaire pour qu'il finisse par tomber ? Est-il possible que celui-ci ait été choisi très précisément parmi tous les autres ? Pierre Fortin imagine un complot infernal qui le viserait lui et contre lequel il ne pourrait rien faire. Il a le sentiment que tout était préparé d'avance et que le livre lui-même est complice ou instrument du destin. Il lui semble que ce livre a délibérément choisi de se précipiter dans le vide, qu'il l'a fait exprès, que c'est un livre désespéré, un livre suicidé.

Impuissant, Pierre Fortin voit tomber le livre interminablement, comme au ralenti. Bouche ouverte, il reste paralysé par le spectacle qu'il contemple et par le désastre qu'il pressent. Il songe déjà au choc prochain, au bruit du bloc compact heurtant le sol, il songe que cela va attirer tout le monde ici instantanément. Pierre Fortin imagine déjà l'étendue des dégâts à venir, la reliure brisée, les pages arrachées, la couverture déchirée. Instinctivement, il se bouche les oreilles de ses mains pour se soustraire à l'événement, pour ne pas en entendre plus, pour échapper quelques instants encore à la catastrophe en train de se dérouler sous ses yeux. D'ici quelques secondes, il aura droit aux pires remontrances, aux pires reproches. Il sait déjà ce que les autres vont dire, ce qu'on va lui reprocher, comment et en quels termes. Il redoute d'avance d'être associé à Pascal-le-destructeur. On va le calomnier. L'insulter. On dira encore que les enfants Fortin brisent tout. Que les enfants Fortin sont des délinquants. Qu'il faut les surveiller toujours, toujours. Qu'il faut leur interdire. Les empêcher. Les retenir. Qu'il faut s'en méfier. Les encadrer. Les punir. Que les enfants Fortin sont une honte. Pierre Fortin est au bord de pleurer.

Les mains toujours sur les oreilles, Pierre Fortin n'entend rien. Il voit le livre atteindre le sol et s'aperçoit seulement à cet instant qu'une épaisse moquette recouvre dans cette pièce les dures dalles de pierre qui trônent partout ailleurs dans la maison. La chute est amortie au dernier moment et, au lieu de s'écraser brutalement, voici que le livre se pose tout en douceur. Il rebondit sur la profondeur du revêtement, sans heurt et sans violence. Pierre Fortin le voit s'enfoncer, un peu mollement, un peu pataud, jusqu'au cœur du tapis, pour en rejaillir presque aussitôt, comme poussé mystérieusement par en dessous. Un instant, il demeure en suspens, entre deux airs, prisonnier de cet élan qui le pousse à s'élever plus haut et de son poids redoutable qui l'attire irrésistiblement vers la terre ferme. Il flotte ainsi quelques secondes, puis retombe à nouveau, délicatement, et s'immobilise enfin, devenu corps mort, majestueux et digne. Ses ailes brisées se répandent éparses autour de lui. Alors seulement, Pierre Fortin décolle les mains de ses oreilles. Pas un bruit. Aucune réaction nulle part. Rien de l'horreur que le jeune garçon appréhendait. Tout semble calme. Lentement, Pierre Fortin s'approche du lieu d'impact. Le livre est ouvert et gît lamentablement, navire échoué, déséquilibré sur un côté, épave insolite. Pierre Fortin plie ses genoux et se penche prudemment sur l'objet inanimé, tout comme on s'approcherait avec hésitation d'un animal blessé qui ferait semblant d'être mort et dont il conviendrait de se méfier encore. Sous le choc, un des battants de la couverture s'est déplacé et dévoile les premières pages du volume, et sur cette étendue blanche contrastent nettement en gros caractères le titre de l'ouvrage, le nom de son auteur, celui de la maison d'édition ainsi que diverses petites précisions, lieu, date, numéro d'impression, mais surtout, surtout, écrit en diagonale, à l'encre noire, et d'un trait large et assuré, sur cette étendue blanche, on peut lire ceci: «À Laurence, pour me faire pardonner mes infidélités avec.» Et c'était signé Maurice.

Pierre Fortin ne comprend pas ce que le livre fait ici et n'essaie même pas de le savoir. Ce qu'il voit clairement en revanche, c'est que sur ce livre il peut lire les noms de Laurence et Maurice, le couple modèle de la famille. Il prend conscience tout à coup que c'était donc cela la terrible révélation qu'il avait sentie peser sur ses épaules quelques instants avant la chute du livre, et qu'il savait devoir fondre sur lui. À cette pensée, un frisson le parcourt à nouveau. Il songe ensuite à tous ces secrets enfouis au plus profond des êtres, des lieux et des objets et qui, lorsqu'ils ne jaillissent pas au grand jour d'une façon ou d'une autre, restent à jamais insoupçonnés, scellés au creux de froids tombeaux obscurs. Pierre Fortin sait que ce qu'il vient d'apprendre aujourd'hui, il devait l'apprendre un jour. C'était écrit. «Les choses, se dit-il, se mettent en place peu à peu au hasard des rencontres, des événements et des découvertes.» Il porte de nouveau son attention sur le livre et caresse la page de sa main pour s'assurer de l'existence des mots. Ils sont bien là. «À Laurence, pour me faire pardonner mes infidélités avec.» «Alors, c'est ça!» pense-t-il. «Toute cette agitation pour en arriver là... Tous ces serments... La bague au doigt. Les promesses échangées. Les années qui passent. Tout ça pour ça: pour avoir l'air comme tout le monde! Pour rassurer les gens de l'entourage immédiat, la famille, les collègues au travail... La belle hypocrisie que voilà.» Pierre Fortin est tout étourdi. «Jusqu'où tout cela peut-il aller? se demande-t-il. Jusqu'où peut-on jouer le faux spectacle de l'amour?» Il lève son regard à la recherche d'une réponse, quelque part, d'un autre signe peut-être, d'un soutien. La pièce lui semble encore plus grande qu'auparavant, encore plus impressionnante, et elle reste désespérément vide. Mille impressions et mille questions se pressent simultanément dans sa tête. Toutes sortes de tableaux se mettent à défiler devant ses yeux, des petites scènes de la vie quotidienne. Il revoit ces périodes, récurrentes lui semble-t-il, de messes basses et de portes qui claquent. Voici qu'il leur trouve un sens à présent, tout comme aux yeux rougis de Laurence lorsqu'elle surgissait régulièrement dans l'appartement de la région parisienne au beau milieu de la nuit, aux petites heures du matin ou au cœur d'une fin de semaine d'ennui. Il entend les réflexions échangées. Il les revoit tous, mauvais comédiens, ourdir de sombres complots en échangeant des regards de haine. Le voici donc leur modèle de vertu! Du toc. De la camelote. De l'esbroufe. Et pourtant, tout continue comme si de rien n'était. Le livre est remisé sur la plus haute étagère de la bibliothèque, il est là, à portée de regard, mais chacun fait comme s'il n'existait pas. Qu'il est doux d'ignorer certaines choses. Pierre Fortin se demande quelle sincérité habite ces gens-là. Jusqu'où peut-on les croire, leur faire confiance? Quels sont leurs sentiments véritables? Pierre Fortin voudrait savoir. Il songe à cela comme un clinicien de la nature humaine qui se pencherait sur un cas. Il aimerait pouvoir sonder l'esprit des gens. Découvrir ce qu'ils dissimulent avec tant d'art et de dextérité. Connaître les mécanismes secrets de l'âme. Observer la machine du cœur qui règle les sentiments, qui les produit et les gère. Il voudrait en apprendre le fonctionnement. Il se sent tellement curieux de tout. Ses pensées le transportent au bord d'un malaise immense qu'il sent l'envahir de plus en plus, mais il n'a guère le temps de s'attarder sur ses nouvelles impressions. Une voix, tout à coup, rompt le silence, en provenance de la salle à manger.

— Pierre? Qu'est-ce que tu fais là-bas? Tu es sûr que tu ne veux pas de dessert?

C'est Laurence qui insiste. Pierre Fortin tourne la tête brusquement et fixe l'extrémité de l'enfilade de pièces d'où provient la voix. Il a peur de voir surgir sa tante tout à coup. Encore moins que toute autre chose, il ne le supporterait pas. Il panique. Pas elle, non, pas elle. Il essaie de répondre mais bafouille lamentablement. Au bout d'un temps qui lui semble une éternité, il parvient enfin à retrouver ses esprits et crie alors sur un ton précipité:

— Non, ça va!

Puis, il ajoute:

— Merci! Vraiment. Ça va...

Il n'a le temps ni de respirer ni de souffler un peu qu'une autre voix intervient presque aussitôt. Cette fois, c'est sa mère qui le rappelle à l'ordre:

— De toute façon, on va bientôt s'en aller... Tu m'entends? Alors, tu reviens par ici et tu ramasses tes affaires, c'est compris?

Le ton n'admet pas de réplique. Pierre Fortin sent de nouveau en lui cette peur de voir quelqu'un surgir dans la pièce et cette seule crainte lui donne assez d'énergie pour le faire bouger. Véritable poussée d'adrénaline, elle guide ses gestes et réactions. Il faut s'exécuter, vite. Il articule un «Oui, oui» rapide, il assure qu'il arrive, puis se jette littéralement sur le livre, genoux à terre, et le referme d'un coup sec. Un craquement sinistre se fait entendre. Il n'a plus le temps d'y prendre garde.

Sur la couverture apparaît, comme un éclair, en noir et blanc, le visage d'une femme qu'il ne cherche pas à reconnaître. En surimpression, avec de belles lettres dorées et calligraphiées, il est écrit ceci: «Joan Baez, la chanteuse de l'amour». Malgré lui, les mots se gravent à même sa mémoire. «Joan Baez, la chanteuse de l'amour». «À Laurence, pour me faire pardonner mes infidélités avec.» Pierre Fortin se demande s'il existe un lien volontaire entre ces deux phrases. Sans s'attarder, il réajuste un peu les pages qui dépassent et redresse la couverture en carton. Des yeux, il cherche alors un petit meuble pour lui servir d'escabeau et le trouve. Il grimpe dessus, tend la main pour se saisir du livre. Celui-ci se révèle aussi lourd qu'il l'avait imaginé. Pierre Fortin donne ensuite un dernier élan à tout son corps et parvient avec peine à soulever le volume qu'il remet en place aussitôt, avec mille précautions et en prenant bien soin, cette fois-ci, de le pousser jusqu'au fond des étagères. Enfin, il saute à terre et quitte la pièce en courant.

Au bout du couloir, dans l'entrée, on se prépare en effet au départ. Évelyne et Pascal ont déjà leurs manteaux sur le dos, tandis que Patricia se penche vers eux, tour à tour, pour la tournée des baisers d'au revoir. L'instant, comme chaque fois, est teinté, même chez les enfants, de ce petit côté cérémonieux et emprunté qui efface la spontanéité, rend les propos fades et les gestes conventionnels. En tant que maîtresse de maison, Laurence se tient un peu à l'écart, elle fera ses adieux la dernière. Debout près de la porte ouverte, elle jette alternativement des regards à l'intérieur puis à l'extérieur de la maison, comme pour veiller au bon déroulement des ultimes préparatifs. Dehors, Louise Fortin est immobile sur la terrasse et attend que son mari lui dise quoi faire. Elle tient à bout de bras, très haut, quelques vêtements sur des cintres, ceux qu'elle ne veut pas plier et qu'elle va coucher dans un instant sur la plage arrière de la voiture. Louise Fortin ne se déplace jamais sans une véritable garde-robe. Pierre sort de la maison et la rejoint.

À quelques pas du perron, sur le petit chemin de graviers qui traverse la propriété, Raymond et Maurice sont dans un état d'énervement extrême. Depuis un bon moment déjà, ils s'affairent autour de la Citroën et tous deux essaient de faire entrer dans un coffre réticent tous les sacs, les paquets, les paniers de légumes frais qu'on ramène toujours de ces excursions-là. Raymond Fortin a beau modifier plusieurs fois l'agencement de l'ensemble, déplacer ceci et replacer cela, tenter d'orienter le tout dans un sens différent, parfois dessus et parfois dessous, ça ne marche pas. Il marmonne entre ses dents et se demande pourquoi ces voitures prétendument familiales ne sont jamais assez familiales pour sa famille à lui. Il revoit les belles publicités à la télévision qui font entrer une tonne de bagages dans un tout petit coffre avec la simplicité d'un tour de magie et déplore que les femmes, décidément, ne sachent pas voyager léger, surtout la sienne. Maurice n'intervient pas. Louise encore moins. Raymond essaie encore. Il retire un panier, le pose à ses pieds, coince la raquette de tennis dans un coin en rageant d'autant plus qu'elle n'a pas servi. Enfin, tout est en ordre. Raymond claque fermement la porte du coffre. Soulagé, il revient vers la maison d'un pas déterminé et pressant. Il a l'air triomphant d'un général romain pendant une parade d'honneur. Il s'agite, frénétique, et frappe dans ses mains en criant pour donner le signal du départ.

— Allez, Allez! Dépêchez-vous tout le monde! On va encore rester bloqués sur les boulevards extérieurs.

En un bel ensemble discipliné, femme et enfants se précipitent aussitôt vers la voiture avec d'ultimes gestes d'adieu. Tout le monde agite la main. Laurence et Patricia se tiennent sur les marches de la terrasse. Les trois enfants Fortin s'enfilent comme une brochette sur la banquette arrière, les deux garçons encadrant leur sœur que sa petite taille prédispose à occuper la place du centre afin de ne pas gêner la vue dans le rétroviseur. Les portières claquent. Raymond s'installe derrière le volant après un dernier regard circulaire pour être sûr de n'avoir rien oublié. Tout a l'air en ordre.

De son côté aussi, Maurice semble faire une dernière inspection. Il tourne autour de la voiture, vérifie que les portes arrière et que le coffre sont bien fermés puis, tranquille, il s'approche du conducteur et se penche vers lui par la fenêtre ouverte, le sourire aux lèvres, comme pour un dernier salut.

— Si j'ai bien entendu, vous prenez encore le boulevard des Maréchaux, n'est-ce pas? Franchement, mon vieux Raymond, vous n'êtes vraiment plus dans le coup! En ce qui me concerne, ça fait longtemps que je ne prends que les périphériques quand je vais à Paris. C'est rudement plus commode, vous savez... Vous devriez m'écouter!

Raymond Fortin s'énerve. Non seulement il déteste qu'on lui dise quoi faire, mais en plus il ne supporte pas qu'on l'appelle «mon vieux» alors que son âge, justement, commence à le travailler sérieusement. Il a déjà la main sur la clef de contact, les pieds sur les pédales et ne songe qu'à partir. Agacé, il se tourne à son tour vers Maurice.

— Pas dans le coup! reprend-il, rageur. Je ne suis pas sûr que la question soit là, voyez-vous... En tout cas, vous l'ignorez peut-être, vous qui êtes dans le coup, mais les périphériques ne sont pas encore totalement terminés autour de Paris... Le tronçon nord-est, notamment, est à peine commencé! Si bien que, en ce qui me concerne, je n'ai pas vraiment d'autre choix, voyez-vous! Tenez-vous au courant, mon vieux...

Ce «mon vieux», Raymond Fortin l'a lâché avec une jubilation indescriptible. La marque est de un partout. Pour une fois, il ne s'est pas laissé clouer le bec. Néanmoins, en son for intérieur, il bouillonne littéralement. Maurice l'énerve plus qu'il ne pourrait le dire. Ses prétentions... ses petites reparties... il en a assez. Raymond Fortin a hâte d'en finir. Il rêve d'effacer d'un coup de chiffon le gros visage poupin de Maurice qui gesticule devant lui depuis trop longtemps déjà. Ses faux airs rigolards, sa bonhomie joviale qui dissimule à peine une arrogance profonde lui sont plus que tout insupportables. Il salue d'un bref mouvement de tête et remonte sa vitre nerveusement. Il lui semble que la petite manivelle humide et malcommode fait exprès de lui échapper et de glisser entre ses doigts. Il lui semble que, décidément, tout complote contre lui. Enfin, il démarre brusquement et la

Citroën s'arrache aux délicats graviers blancs de l'allée du jardin. Les pneus crissent dans la manœuvre. En quelques secondes, la propriété a déjà disparu au détour d'un boisé.

Cette fois, ça y est; comme le redoutait Louise, Raymond Fortin enrage tout à fait. Il peut enfin donner libre cours à sa colère et explose d'un coup sans retenue.

— Ah, le con! Le con! s'écrie-t-il avant même que les autres n'aient cessé tout à fait leurs adieux béats par la fenêtre. Non, mais tu l'as entendu avec ses réflexions? De toute façon, il faut toujours qu'il la ramène d'une manière ou d'une autre, c'est plus fort que lui! Quand c'est pas les périphériques, c'est le coffre de la voiture, et quand c'est pas le coffre de la voiture, c'est la raquette de tennis... Impossible d'avoir la paix!

Raymond accélère brutalement. Il quitte les petits chemins de campagne pour des axes plus importants et passe les vitesses sans égard pour le moteur. Toute sa concentration est accaparée par sa colère, une colère dominée surtout par un sentiment de frustration et d'humiliation. Louise l'écoute à peine et n'intervient jamais. Que pourrait-elle dire? Pour elle, c'est chaque fois pareil. Elle connaît la musique. Au bout d'une demi-journée, Maurice et Raymond ne se supportent plus. Depuis toujours, depuis l'Allemagne, existent entre eux trop de comparaisons, trop de tensions, trop de divergences. Ils sont irréconciliables et finissent systématiquement par se dresser l'un contre l'autre, par s'affronter à mots couverts ou par domaines interposés. C'est la droite contre la gauche, l'entreprise privée contre le domaine public. Tout y passe. L'Europe. La défense du franc. La place des immigrants... Muettes et impuissantes, les deux sœurs assistent chaque fois à ce combat des chefs dont le spectacle les laisse systématiquement épuisées et anéanties. Elles savent que les mêmes plaies vont s'ouvrir de nouveau, que les mêmes rancunes vont surgir inévitablement, mais que rien finalement ne pourra progresser. Ni Raymond ni Maurice ne sortira vainqueur, et comme toujours la lutte ne trouvera aucune issue. Dans la voiture, Louise soupire, navrée, et hausse les épaules de dépit.

Quand Raymond s'emporte ainsi, tout le monde passe à autre chose. Au début, il ne s'en rend même pas compte, puis, tout à coup, le silence qui l'entoure finit par lui sembler suspect. Il se sent abandonné. Personne ne le soutient. Il jette un coup d'œil dans le rétroviseur, vers la banquette arrière, pour savoir ce que font les enfants. Pascal est déjà en train d'expliquer à Évelyne qu'elle doit faire attention parce qu'une grosse bête habite les plis du siège sur lequel elle est assise, et qu'elle risque de se faire pincer très fort si elle ne se tient pas sage. Pierre Fortin, dans son coin, le visage blême, fixe le vide par la fenêtre.

— Non mais tu as vu la tête de Pierre? demande Raymond en se tournant vers sa femme. On peut savoir ce qu'il a celui-là maintenant?

Louise ne se retourne même pas.

— Mais rien, voyons! dit-elle, embarrassée. Tu sais bien qu'il est malade en voiture.

Récit de Pierre Fortin

ABSENCE
PROLONGÉE

Lorsqu'il avait couché les enfants, notre père récitait des prières au-dessus de nos têtes pour confier notre âme à Dieu, au cas où, et il dessinait des croix de Saint-André sur nos fronts d'un seul mouvement du pouce avant de quitter la chambre. Nous, on réclamait la lumière dans le couloir en guise de veilleuse et, s'il oubliait, on se relevait après son départ pour aller allumer. On l'imaginait qui regagnait son fauteuil au centre du salon presque vide, avec notre mère seule à ses côtés, et cette vie qui continuait, très loin, à l'autre bout de l'appartement, là où les pièces étaient encore éclairées, cette vie nous fascinait autant qu'elle nous faisait peur. Nous ne manquions pas, en effet, de nous convaincre que, là-bas, sans doute, les heures filaient à un autre rythme et que tout était différent, les couleurs, les gens, et même les programmes à la télé. Ce n'était plus notre monde, ce n'était plus chez nous. Nous pensions à cet univers secret avec un sentiment mêlé de curiosité et de crainte. Nous le sentions si proche que son existence ne manquait pas de nous intriguer mais, dans le même temps, nous n'étions pas sûrs de vouloir vraiment savoir ce qui se tramait là-bas. Nous avions tellement peur de surprendre une révélation trop lourde, dont la réalité nous aurait submergés comme une vague de tempête, que nous n'aurions jamais osé y faire la moindre apparition sans manifester d'abord bruyamment notre arrivée, afin que chaque chose ait le temps de reprendre sa place ordinaire et que tout semble normal à nos esprits inquiets.

De cet inconnu, rien ne nous parvenait jamais. L'obscurité et la longueur du couloir suffisaient à nous isoler dans un cocon protecteur qui nous coupait de l'extérieur et nous mettait à l'abri de tout. Jusqu'à ce qu'un jour, de l'autre côté des murs, surgissent les cris. Contre de tels cris, ni l'éloignement ni la profondeur de la nuit ne pouvaient rien. Ils étaient si forts qu'ils arrivaient quasiment purs jusqu'à nous, dans toute leur ampleur d'origine, toute leur intensité, et si nous étions déjà endormis, ils nous réveillaient aussitôt. C'étaient des cris que personne ne se donnait plus la peine d'étouffer et qui jaillissaient après avoir été trop longtemps retenus, libres et ivres, comme autant de gestes ultimes et désespérés. Des cris si anciens qu'ils semblaient n'exister que pour le plaisir de crier et de se soulager. Ils fendaient l'air interminablement et ne s'adressaient plus à personne. Sans contenu, sans destinataire, ils flottaient dans l'espace, comme des vaisseaux sans pilote qui auraient oublié jusqu'à leur première raison d'être. On les sentait chargés de lassitude, issus d'une lutte qui aurait poussé tout le monde à bout. Parfois, on entendait juste une voix qui résonnait dans la nuit. D'autres fois, on les entendait toutes les deux, parallèles, qui criaient en même temps mais sans s'écouter et sans jamais se répondre, comme des loups qui hurlent à la mort, la truffe pointée en direction du ciel. C'étaient des cris séparés qui surgissaient comme ça, sans obstacle, dans une totale indifférence, et c'était sur nous, finalement, qu'ils venaient s'échouer et sur nous que venait se briser leur élan. Plus tard dans la nuit, les cris cessaient brusquement. Nous entendions ensuite des chocs sourds, des pleurs, des lamentations, suivis de chutes étouffées. Nous n'avons jamais rien vu de ce qui se passait là-bas, mais nous savions alors, tout au fond de nous, que les cris avaient cédé la place aux coups, qu'il ne pouvait en être autrement. Il faut un certain degré de concentration et de calme pour se frapper avec précision.

Pendant des semaines, des mois, chaque soir, les cris nous sont parvenus du salon. Inarticulés, ils perçaient d'un coup avec la violence de ces accusations proférées sur la place publique, puis ils s'étiraient à n'en plus finir, longues voyelles nasillardes qui s'achevaient en trémolos plaintifs et cahotants. De tout ce fatras de sons, de cris, de phrases entrecoupées et inachevées, nous ne parvenions jamais à isoler le moindre propos, jusqu'à ce qu'un jour, au beau milieu de cette cacophonie, se distingue un mot, un seul, que notre père s'acharnait à répéter et qui s'imposa tout à coup pour ne plus jamais disparaître. «Folle.» «Tu es folle.» Ce mot, nous l'entendions très distinctement de l'autre bout du couloir. Voici qu'il se détachait très clairement sur le reste du fond sonore et qu'il frappait avec insistance à nos oreilles. Dans les ténèbres de la chambre, il prenait une place énorme et dans le silence du reste de l'appartement, il trouvait un écho illimité et inégalable.

Dès les premières nuits, le mot s'est mis à nous hanter littéralement. Chaque soir, nous le guettions, apeurés et tremblants, et chaque soir il revenait, fidèle et impassible. Nous le redoutions tellement qu'il nous semblait l'entendre avant même qu'il ne résonne véritablement. «Folle.» «Folle.» «Folle.» Puis, le mot demeurait en nous interminablement. Son écho se perpétuait au-delà de notre sommeil, jusqu'au matin, et pendant toute la journée du lendemain aussi. Sa marque collait sur notre peau comme une véritable sangsue. Au bout de quelques jours à peine, le mot était devenu notre inséparable compagnon de route. Il suffisait de tendre la main, quelques doigts seulement, pour pouvoir toucher la fourrure de son petit pelage, si proche et pitoyable. Petite bête égarée sur une route de campagne, le mot cheminait avec nous sans jamais renoncer, et il n'était même plus besoin de le dire ou de le formuler pour que nous l'entendions. Il était comme ces animaux de compagnie que l'on n'aime ni ne déteste et auxquels on s'habitue par faiblesse sans jamais accepter de les adopter, mais en refusant néanmoins la perspective de les perdre tout à fait. Il restait là, tapi et indélogeable, se rappelant à notre souvenir de manière inopinée et inattendue chaque fois qu'on le croyait disparu et qu'on commençait déjà à goûter quelque soulagement. Il avait appris à se dissimuler dans d'autres mots qui lui ressemblaient et surgissait sans cesse à l'improviste. Il se cachait dans les placards, dans les tiroirs, et nous sautait aux yeux dès qu'on les ouvrait. Il était écrit à pleines pages dans les livres. Il était au cœur de toutes les émissions de radio et de télé. Il était affiché, agrandi démesurément et reproduit en mille exemplaires, sur des kilomètres d'autoroutes et de voies ferrées. Il tapissait les murs des stations de métro, à longueur de quais et de couloirs, et faisait la une des magazines et des mauvaises revues, exposé en devanture des kiosques à journaux. On le voyait miroiter dans le regard lourd de nos voisins qui s'attardait longuement sur nous, petits êtres meurtris par le sort, dans les escaliers et au supermarché, avec des airs compatissants et des hochements de tête. On le devinait derrière les invitations de nos amis, tout à coup plus nombreuses, comme si leurs parents avaient décidé de se rapprocher de nous ou de nous prendre en charge, pour pallier on ne savait quelle absence ou quelle déficience. On le reconnaissait, enfin, dans la présence si importante soudain, et si remarquable, du reste de la famille. «Folle.» «Tu es folle.»

Il arrivait certains soirs que d'autres bruits nous parviennent et trahissent une agitation supplémentaire. On entendait des portes claquer, de plus en plus nombreuses. On devinait des mouvements précipités. Le couloir abritait des courses, des fuites, des pas pressés vers la salle de bains, et déjà on connaissait la suite. La lumière s'allumait brutalement dans notre chambre et notre mère était là, comme une apparition, drapée dans une longue chemise de nuit qui lui donnait des allures de fantôme. Nous nous redressions à demi dans nos lits, médusés, hagards, et nous battions des paupières à cause de la lumière nouvelle. Alors, notre mère disait qu'elle allait mourir et que c'était notre faute, que nous étions responsables de tout. Elle disait qu'elle avait pris des cachets dont nous ne retenions jamais les noms, et que, avant de partir, elle tenait à nous dire ça, que nous étions maudits, qu'elle formait des vœux pour notre damnation. Tout en parlant, elle s'agitait et tendait le bras au-dessus de nos lits comme pour le salut fasciste. Elle disait qu'il fallait qu'on sache, que l'amour maternel n'existait pas, que c'était une invention des livres et des romans, que c'était une culpabilité imposée aux femmes, mais que ça n'existait pas, que ça n'était pas un dû, jamais, et surtout pas pour nous, les garçons. Puis, elle disparaissait d'un coup en nous laissant dans un tel état de stupeur que nous n'arrivions jamais à déterminer si nous étions vraiment en pleine réalité ou si nous n'avions pas plutôt fait le même cauchemar au même moment.

Un jour, les cris ont disparu et avec eux notre mère aussi. Les nuits sont redevenues tranquilles. On nous a pris à part, tous les trois en bloc, comme un ensemble indissociable auquel il convient de s'adresser sur le même ton, avec les mêmes propos, les mêmes images, et ce malgré nos différences d'âge, de sensibilité, et malgré les écarts qui existaient déjà entre nos capacités à comprendre les choses et à les appréhender dans leur complexité. On nous a parlé de traitements, de maison de repos, et personne n'a osé prononcer le mot qu'on entendait déjà depuis si longtemps, la nuit, à travers les murs de l'appartement, et qui faisait si peur, sauf à nous justement, tellement nous nous étions habitués à lui et tellement nous nous étions préparés à le voir régner un jour sur nos vies. On nous a parlé de sommeil, d'éloignement et d'une telle qui serait comme notre nouvelle maman. On nous a dit que, cette nouvelle maman, il faudrait l'aimer beaucoup et que ce serait bien pour nous, que ce serait bien pour elle aussi, la nouvelle, et bien pour l'autre également, l'ancienne, la vraie maman et, bref, que ce serait bien pour tout le monde, peut-être même mieux qu'avant. Et puis, après les nuits, les jours aussi sont redevenus tranquilles. Le silence a tout envahi.

Des quelques lettres que nous avons reçues après le départ de notre mère, nous n'avons rien appris, si ce n'est que quelqu'un devait les porter à la poste à sa place, toujours au même endroit et à la même heure, et qu'elles nous parvenaient des Bouches-du-Rhône. Nous n'arrivions jamais à lire plus précisément le nom du village sur la flamme mal imprimée de l'enveloppe. Ce n'était pas Marseille, ce n'était pas une des grandes villes de la région. À cet âge, nous n'étions jamais allés dans les Bouches-du-Rhône. Nous n'y avions ni ami ni famille. Le Sud nous était inconnu. Sur cette ignorance, peu à peu, s'était greffée la peur que suscitait chez nous ce nom incroyable de «Bouches» du Rhône. Avec effroi, nous imaginions derrière ces mots une ouverture infernale, une gueule béante qui avalerait aussitôt quiconque s'en approcherait d'un peu trop près. Nous avions le pressentiment d'une terrible menace. De plus, nous avions découvert sur la carte, dans nos livres d'écolier, que les bras du Rhône, à cet endroit, dessinaient justement ce qui ressemblait aux griffes d'une fourche, et cela nous avait suffi pour nous convaincre que notre mère était en train de livrer là-bas un combat permanent entre le bien et le mal, et que si le mal gagnait, le diable l'emporterait tout entière, qu'elle allait disparaître avec lui dans les mâchoires ouvertes de l'enfer et qu'on ne la reverrait plus. Nous étions persuadés que derrière cette absence se cachait une lutte sans pitié entre la vie et la mort, et que soit notre mère allait revenir victorieuse et en santé, soit elle ne reviendrait plus jamais.

Au bout de quelques semaines, nous n'avons plus rien reçu du tout. Notre mère n'écrivait plus. Elle n'avait jamais téléphoné. Ses lettres ont cessé alors que ses propos devenaient chaque fois plus confus et que son écriture se faisait toujours plus tremblante. Elle mélangeait nos prénoms, nos âges, nos activités et, à notre tour, nous avions du mal à la reconnaître derrière une telle confusion. Ses lettres ont cessé comme si notre mère elle-même avait convenu de leur déraison et qu'elle en était venue à conclure que mieux valait le silence que ces lettres-là. À moins que quelqu'un ne l'ait empêchée d'écrire. À moins que ses lettres n'aient été détournées par ceux à qui avait échoué notre garde et qui ne prononçaient plus son nom qu'en chuchotant; ceux-là mêmes qui possédaient le contrôle de l'information et qui, nous en étions convaincus, devaient trier dans les nouvelles de chaque jour ce que nous pouvions apprendre ou pas. En fait, on nous en disait si peu, et tellement à mots couverts, que nous n'avions aucune idée de ce qui pouvait nous attendre dans un avenir immédiat. Même les questions les plus simples ne trouvaient plus de réponses. Le silence systématique auquel nous étions confrontés, si constant et si parfaitement étanche, avait fini par nous faire comprendre que notre entourage cherchait délibérément à étouffer une révélation qui se cachait au cœur même de notre quotidien, comme ces tares héréditaires, destructrices et imparables, que les familles s'emploient à dissimuler de génération en génération de peur d'entacher la réputation de leurs ancêtres ou de leurs descendants. Complices malgré nous, par timidité ou par goût du secret, nous nous étions habitués à ne rien demander et à ne jamais parler plus qu'il n'était nécessaire. Quant à ceux qui n'avaient pas notre délicatesse et qui s'aventuraient à nous interroger, se risquant allégrement et en toute ignorance dans un domaine strictement interdit, nous répondions d'un ton qui n'admettait pas de réplique que «Maman n'est pas là, mais que là où elle est, elle pense quand même à nous et qu'elle nous aime beaucoup».

Étrangers au monde de complots qui s'agitait autour de nous et coupés de la sollicitude de ceux qui voulaient nous aider, nous sommes restés seuls, confrontés à nous-mêmes, à rechercher dans nos mémoires les derniers souvenirs de cette mère qui entrait nuitamment dans notre chambre, apparition funeste et déchaînée, ivre de fureur et de ressentiment, et qui venait nous dire, sur le ton des pires sentences, que nous aussi nous allions mourir, que nous étions maudits, et que l'amour maternel n'existait pas. Malgré le temps et la distance, le poids de ces déclarations et de ces images continuait à peser sur nous avec une intensité qui ne parvenait jamais à diminuer. Tout nous revenait à l'esprit si facilement. Le bruit des pas précipités dans le couloir. Les portes de la salle de bains. La longue chemise de nuit blanche. Le salut fasciste. Les cheveux en désordre. Tout cela composait un spectacle qui nous terrorisait littéralement mais que nous rappelions sans cesse à nos esprits, car il comptait, désormais, parmi le peu qui nous restait de l'absente. Sous le coup de ces reconstitutions, nous restions sans souffle et sans voix, la poitrine oppressée par un invisible corset qui des heures durant ne nous lâchait plus. Si nous parvenions pendant la journée à contrôler l'afflux de ces émotions, les nuits, en revanche, leur offraient sans réserve l'immensité de leurs espaces vierges. Petit à petit, elles étaient devenues le lieu favori de ce théâtre de douleur où toutes ces scènes se recomposaient à l'infini sous nos yeux horrifiés. Mille fois, nous tentions de fermer la porte à nos rêves. Épuisés, nous luttions contre le sommeil jusqu'au matin pour que nulle réminiscence ne vienne s'inscrire sur l'écran noir de nos paupières baissées. Mais tout cela était en vain. En quelques mois, nous étions définitivement passés des nuits de cauchemars avec cris aux nuits d'angoisse dans le silence. Seuls les voisins, sans doute, y avaient gagné quelque répit.

Et puis, un jour, de nouveau, est arrivé un envoi des Bouches-du-Rhône. C'était une boîte avec nos noms écrits dessus, un de ces paquets jaunes en carton préplié que vendait déjà la poste à cette époque. Nous l'avons ouverte en silence. À l'intérieur, bien serrés les uns contre les autres, on aurait dit des petits serpents endormis. C'étaient des ceintures. Aucun mot, aucune explication n'était ajoutée. Nous les avons sorties l'une après l'autre, en les regardant se dérouler lentement comme ces corps morts qu'on lève de terre, encore méfiant, en les tenant au bout d'un bâton. Il y en avait trois. Deux longues, pour Pascal et moi, et une plus petite, pour Évelyne. Un coup d'œil suffisait pour comprendre que notre mère les avait faites elle-même. C'étaient des ceintures très frustes, très rudimentaires, qui donnaient l'impression qu'on s'était contenté de tailler grossièrement d'épaisses lanières de cuir, d'y percer trois trous à une extrémité et de placer une boucle à l'autre, de ces boucles laides, en métal chromé, comme on en faisait dans les années soixante-dix. Toutes les trois étaient beaucoup trop grandes pour nous, mais nous les avons gardées quand même, les rangeant méticuleusement, et avec une certaine admiration, dans les tiroirs respectifs de nos commodes. À première vue, on aurait dit le résultat, sans talent et sans âme, de ces séances de travaux manuels forcés qu'on impose en prison et en centre de réhabilitation pour occuper la pensée des détenus et canaliser leurs énergies. Pourtant, le simple fait d'avoir découvert trois ceintures, et de tailles différentes, nous avait suffi pour retrouver un peu de notre mère quelque part au-delà des objets eux-mêmes. Malgré nous, l'émotion nous gagnait et nous serrait la gorge.

Nous regardions les ceintures et nous nous demandions alors s'il fallait voir dans cet envoi le signe d'une amélioration générale et d'un retour prochain ou plutôt la preuve que ce que nous appelions désormais «la cure» allait se prolonger.

Un peu plus tard, nous avons reçu un autre paquet, avec de nouveau trois ceintures, puis un autre et encore un autre, et ainsi pendant des mois, à une ou deux semaines d'intervalle. Tous les paquets contenaient chaque fois trois ceintures, soigneusement enroulées dans leur petite boîte, toutes absolument identiques, toujours aussi rudimentaires et toujours inutilisables. En l'espace de quelque temps, nos tiroirs, puis nos placards, regorgèrent d'une quantité phénoménale de ceintures, méthodiquement alignées et remisées là à défaut d'autre usage. Parfois, lorsqu'ils venaient jouer avec nous, nos amis tombaient sur ce ramassis de cuir au détour d'une exploration, et ils restaient là, bêtement, bouche ouverte, devant ce spectacle que nous ne savions jamais comment justifier. Et puis un jour, à son tour, notre père a ouvert les tiroirs de la commode et il s'est retrouvé nez à nez avec une multitude de courroies toutes neuves.

Pascal et moi savions exactement quel usage pouvait être fait de toutes ces ceintures, l'expérience nous l'avait appris, et sans doute était-ce pour cela que nous avions tenté de les dissimuler. Nous savions que notre père répugnait à frapper à main nue. Dès qu'il sentait la colère le gagner, il portait la main à son pantalon et détachait la boucle de sa ceinture. En quelques secondes, la fine lanière glissait aussitôt hors des ganses avec un sifflement de couteau qu'on aiguise, puis elle retombait mollement sur le sol, à l'affût, menaçante. Alors, Raymond Fortin était capable de tout. Lorsqu'il rentrait de sa journée de travail, il suffisait que notre mère lui dise: «C'est Pierre», ou encore: «C'est Pascal, il a recommencé» et, sans plus d'explications, il se dirigeait tout droit vers notre chambre. Sans un mot, qu'il nous trouve endormis ou pas, il se mettait à fouetter à longs traits le corps inanimé qu'on lui avait désigné. Combien de fois déjà avions-nous été réveillés par la brûlure du cuir sur notre peau? Combien de fois Raymond Fortin avait-il continué imperturbablement jusqu'à réduire en lambeaux les draps et les couvertures? C'était à cela que nous songions en voyant notre père tout à coup immobile, figé dans la contemplation des ceintures. L'air était devenu solide autour de nous. Le silence était total. Notre père a attendu un moment qui nous a semblé une éternité, puis il a saisi une ceinture au hasard entre ses mains. Il a tâté la souplesse du cuir et l'étonnement a laissé place à une sorte de joie dans ses yeux. Ses gestes tout à coup nous ont paru trop lents. Il s'est levé et il a fait claquer la ceinture dans l'air avec une satisfaction visible. Très fort. Très violemment. Tellement que ça nous a fait peur. Alors seulement, il nous a regardés. Et il a souri.

Chapitre 3

EN GUISE
D'INITIATION

Ou comment le jeune Pierre Fortin
fit l'expérience des hommes,
comment il eut la révélation de son plaisir,
et comment il fut aimé puis déserté par Tac-la-Main
à peine eut-il passé le cap de ses douze ans.

Sur le chemin de l'école, Pierre Fortin fit l'expérience des hommes. Il avait douze ans. Pour se rendre à son collège, il devait suivre un trajet compliqué qui s'effectuait par tronçons. Il prenait d'abord l'autobus jusqu'à la gare de son domicile, puis il quittait sa banlieue en train jusqu'à Paris. Il traversait ensuite la capitale en métro jusqu'à une seconde gare et prenait alors de nouveau le train pour une autre banlieue. Une fois à destination, il avait le choix entre aller à pied ou prendre un ultime autobus. Ces trajets, Pierre Fortin les effectuait toujours aux heures de pointe, tôt le matin ou en fin d'après-midi. Quand les choses se présentaient bien, c'est-à-dire quand les correspondances entre train, métro et autobus s'enchaînaient sans trop d'attentes, il en avait pour deux heures.

Il n'existe que deux capitales au monde où les sociétés de transport sont obligées de recruter de jeunes fiers-à-bras pour tasser les voyageurs au fond des wagons de métro afin de pouvoir fermer leurs portes. Ces deux villes sont Tokyo et Paris. C'est dire ce que signifie prendre les transports en commun aux heures de pointe dans de tels endroits. Les voyageurs débordent littéralement par toutes les ouvertures et il n'est pas rare de voir le pan d'un imperméable ou d'une robe, ou encore un bout de cartable ou de parapluie, rester bloqué entre deux portes fermées. Dès le premier autobus, Pierre Fortin se retrouvait entouré d'une véritable marée humaine qui ne le quittait plus de tout son trajet, soir ou matin, quels que soient sa direction ou le moyen de transport utilisé. La densité ne diminuait jamais. Les places assises faisaient défaut et suscitaient la convoitise de tout un chacun, notamment des personnes âgées et de celles dont le parcours était particulièrement long.

À chaque arrêt, aussi bien en autobus qu'en train ou en métro, la foule montait précipitamment les quelques paliers des marchepieds et s'engouffrait dans les rares espaces encore disponibles ou dans ceux que les voyageurs qui étaient descendus venaient tout juste de libérer. Pierre Fortin assistait alors, médusé, dans une pagaille étourdissante, à une immense partie de chaises musicales sans musique dont les joueurs auraient perdu toute retenue et tout esprit civique. Les enjeux étaient trop importants pour qu'ils acceptent de s'effacer les uns devant les autres et qu'ils songent à se faire de belles manières polies. La perspective de devoir se retrouver debout pendant de longues minutes, après une journée de travail épuisante, suffisait à rendre sauvage et intraitable le plus docile des individus et à transformer en rivaux indésirables tous ceux qui l'entouraient. C'était la guerre. Tout comme les animaux sauvages peuvent se piétiner à mort lorsqu'ils fuient en courant un danger immédiat, la foule des voyageurs, elle aussi, écrasait tout sur son passage. On se ruait littéralement sur les dernières places inoccupées, n'hésitant pas au besoin à jouer un peu du coude pour se frayer un chemin. Plus que jamais, seule prévalait la loi du premier arrivé premier servi.

Dans cette mascarade, les femmes n'étaient pas en reste. D'une certaine façon, c'étaient même elles qui menaient le bal et Pierre Fortin s'étonnait de les voir à ce point décidées et entreprenantes alors qu'on les lui avait si souvent présentées comme faibles et malmenées par une société machiste. Il y avait là quelque chose qui ne collait pas. La majorité des usagers savaient qu'aux heures de pointe la probabilité de trouver une place assise était si petite que, généralement, ils n'y pensaient même pas. Ils suivaient le flot empressé avec docilité et, quand arrivait leur tour, ils se glissaient où ils le pouvaient, se tenant debout jusqu'au moment de descendre. Résignés, fatigués, ils subissaient le mouvement sans jamais essayer de lui imposer une volonté plutôt qu'une autre. Les femmes qu'observait Pierre Fortin, elles, ne renonçaient jamais.

Il les voyait monter en poussant des petits cris aigus et agiter leurs sacs à main pour se frayer un chemin, puis fondre ensuite sur les sièges encore libres, comme des rapaces sur une proie. Elles jouissaient d'un don infaillible pour repérer d'instinct les places disponibles à l'intérieur de n'importe quel véhicule avant même qu'il ne soit totalement à l'arrêt. Leurs mille regards filaient par les fenêtres et elles évaluaient aussitôt la situation, choisissaient les endroits les plus favorables, élaboraient des plans de déplacement. Dès lors, sur les quais comme aux arrêts d'autobus, la file d'attente se transformait en un instant en un tas humain, informe et compact, qui se pressait près des portes.

Les femmes étaient toujours en tête. Judicieusement placées, elles savaient se tenir de façon à entrer le plus vite possible sans perdre de vue les coins qu'elles avaient remarqués. Imperturbables, elles attendaient en pressant leurs sacs et accessoires contre elles. Plus était proche le moment de monter à bord et plus leur œil s'enflammait. Leur impatience aiguisait leurs sens. Sur le qui-vive, fermes et résolues, elles s'efforçaient à avancer de quelques pas encore, exerçant de petites pressions, légères mais constantes, contre leur entourage. La tension montait. Elles agitaient la tête fébrilement et tendaient leur cou dans tous les sens. Chaque voisine devenait une rivale. Elles s'espionnaient entre elles pour mesurer la force des autres et pour identifier d'où viendrait la compétition la plus féroce. Quand elles s'étaient enfin estimées à leur juste niveau, elles se jetaient des regards foudroyants qui signifiaient clairement: «Toi, ma petite, je te garde à l'œil. Ne t'imagine surtout pas que je vais te laisser passer, il n'en est pas question. Tu peux toujours essayer, si tu veux, mais c'est moi d'abord, et les autres après...» Bref, elles étaient redoutables.

Une fois montée, après les bousculades et la précipitation, la foule songeait enfin à se calmer. Chacun savait que le trajet serait long. Il fallait s'installer au mieux. Un étrange changement se produisait alors. Autant la foule s'était montrée sauvage et indisciplinée auparavant, autant tout à coup semblait-elle saisie d'une sorte de douceur qui la rendait molle et malléable, comme une pâte chauffée, proche de la liquéfaction. Voici que tous les corps s'imbriquaient gentiment les uns dans les autres et nul espace, aussi modeste ou inaccessible fût-il, ne restait inoccupé. On poussait un peu parfois, si nécessaire, on manœuvrait avec habileté, mais tout en souplesse cette fois, sans heurt ni agressivité. Très vite, chaque plein comblait un vide, chaque excroissance trouvait un creux pour se lover, et tout ce qui dépassait d'un côté parvenait, comme par magie, à s'infiltrer ou à disparaître dans un autre. En un instant, mille corps s'unissaient pour n'en former plus qu'un, immense et compact, docile et conciliant, que le mouvement du transport balançait d'un côté puis de l'autre. Tout cela se produisait de façon si soudaine et avec une facilité qui semblait si naturelle qu'un observateur étranger aurait pu croire à une répartition préarrangée de tous ces éléments, à une répartition qui aurait été convenue d'avance, comme par un chorégraphe invisible qui dirigerait là le plus important ballet de l'histoire de la danse. Pourtant, il n'en était rien. La discipline s'imposait d'elle-même, spontanément, car il n'est pas possible, n'est-ce pas, de lutter indéfiniment contre l'intérêt général. Une sorte d'intelligence de la situation finissait par prédominer, une logique supérieure qui incitait la foule au calme et à la soumission, un peu malgré elle, certes, mais quel autre moyen existait-il d'agir autrement?

Par nature, ce *puzzle* humain s'avérait extrêmement favorable à toutes sortes de frottements, de caresses furtives, et à autant d'autres menus contacts. Certains résultaient du plus grand des hasards, d'autres se produisaient par accident sous la pression d'un mouvement, d'un coup de frein, ou sous le choc d'une bousculade imprévue. C'était inéluctable. Immanquablement, à peine prenait-on conscience de ces gestes malheureux qu'une immense confusion s'emparait des acteurs de la scène et que chacun, déjà, faisait tout son possible pour mettre un terme à la situation dans les plus brefs délais. On se sentait coupable, immensément gêné et on s'employait aussitôt à s'arracher à cette intimité malheureuse.

Immédiatement, on se déplaçait un peu pour montrer sa bonne volonté. On adoptait une autre position, on se décalait de quelques centimètres. On prenait des airs désolés, assurant que cela ne se reproduirait plus. On bafouillait de vagues excuses aussi disproportionnées qu'injustifiées, comme lorsqu'on demande pardon d'avoir bâillé ou d'avoir éternué alors qu'on n'en est pas réellement responsable. Il en allait de même avec les frottements et les chocs inopinés, c'étaient là les aléas des transports en commun.

C'est ainsi que Pierre Fortin reçut les premières visites de Tac-la-Main, sans y prendre garde. Dans chaque train, chaque métro, chaque autobus, c'était inévitable. Il arrivait, à un moment ou à un autre, il arrivait chaque fois qu'un homme surgisse dans son alentour et qu'il vienne se coller contre lui. Qu'y avait-il à redire à cela ? N'était-il pas un passager comme les autres et, à ce titre, exposé aux mêmes contraintes ? À l'exemple de la foule qui l'entourait, soumise et disciplinée, Pierre Fortin acceptait son sort sans jamais penser à s'insurger. Il restait là, tranquille et immobile, en attendant d'arriver à l'arrêt où il devait descendre. Puis, il se dégageait avec des mots polis et se frayait un chemin jusqu'à la sortie. Ainsi jusqu'à la prochaine fois.

Avec le temps, néanmoins, Pierre Fortin ne tarda pas à se rendre compte du sort particulier qui était le sien. L'homme qui surgissait dans son alentour n'était pas toujours le même, mais il était là avec une telle régularité qu'on aurait pu croire qu'il suivait le jeune garçon à longueur de journée, n'attendant que le premier instant propice pour venir se coller contre lui. D'où sortait-il ? Où était-il trente secondes auparavant ? Pierre Fortin n'aurait su le dire, mais il était là, toujours, incontournable. Il était là, et il était insistant. La main de l'homme heurtait Pierre Fortin et elle restait insolemment en place, beaucoup plus longtemps que néces-saire, au lieu de se retirer dans les plus brefs délais. À l'inverse de ces gestes à peine esquissés que faisaient parfois les autres et qui effleuraient furtivement une partie quelconque du corps de l'enfant, la main de l'homme était appuyée, lourde, et elle obéissait toujours à la même obsession, se dirigeant sans hésiter vers les mêmes endroits, choisis par avance... Elle faisait son nid, délibérément, à même le corps du jeune garçon et il fallait un long moment ensuite pour qu'elle songe à se retirer. Pierre Fortin sentait très bien qu'elle ne le faisait jamais de son plein gré. Il fallait que quelque chose se produise, qu'un incident intervienne. Elle ne se décidait alors à bouger que contrainte et forcée, parce qu'il n'y avait pas d'autre solution, parce que le trajet était à son terminus et qu'il fallait descendre ou parce que le mouvement de la foule avait brusquement éloigné d'elle le jeune garçon, le rendant tout à coup inaccessible. Dans ces moments-là, l'homme ne prononçait jamais ces mots d'excuse qui auraient témoigné de la pureté de ses intentions, et son visage ne manifestait pas le moindre signe d'embarras. Pierre Fortin comprit tout à coup que cette main n'agissait pas sous le coup du hasard. Ce qui se produisait ici n'était pas le résultat fortuit d'un contexte innocent, il s'agissait d'une volonté déterminée qui se manifestait non pas à cause de l'inconfort de cette foule, mais grâce à lui, tout au contraire. Sans doute la main de l'homme l'avait-elle cherché dans bien d'autres endroits jusqu'alors, probablement depuis longtemps déjà, et sans doute aussi s'était-elle égarée pour lui au cœur de nombreuses foules, anonymes et stériles, sans doute avait-elle été rejetée et insultée bien souvent, et sans doute enfin avait-elle été meurtrie et incomprise, avant de le rencontrer lui, et de se trouver bien à ses côtés. Oui, sans doute avait-elle enduré tout cela jusqu'à ce jour où – tac! – ce jour où – tac, la main! – elle l'avait adopté. Maintenant, Pierre Fortin le savait, Tac-la-Main ne le lâcherait plus et, désormais, il lui appartiendrait.

Ainsi le rite fut-il institué. Chaque vendredi, au retour du collège, et chaque lundi, à l'aller, malgré l'heure matinale, Tac-la-Main était là, comme à un rendez-vous secret et jamais formulé, rencontre clandestine à l'abri de tous et de tout. Aux yeux de Pierre Fortin, ces retrouvailles finirent par revêtir la logique d'une loi, universelle et implacable, une loi qui voulait que dans tous les métros du monde, tous les autobus, tous les trains, s'il y avait une foule assemblée et s'il y avait un petit garçon perdu dans cette foule, serré par elle, alors, forcément, il y avait aussi une main pour venir se coller contre lui. Tout cela était dans l'ordre des choses et Pierre Fortin était précisément à cet âge où l'on ne remet jamais en cause la légitimité de l'ordre des choses. Il ne doutait pas que pour chaque garçon de douze ans qui devait circuler à tout instant dans le monde, comme tout à côté de lui, il devait exister un Tac-la-Main pour lui être associé, ange fidèle et protecteur, qui surgissait aussitôt au milieu de la foule, clément et rassurant. Les choses lui semblaient bien ainsi. Pierre Fortin était loin de s'imaginer qu'un mot de lui ou qu'une inter-vention de quelqu'un dans la foule aurait suffi à envoyer son ange gardien directement en prison. Il n'avait jamais entendu parler de telles mesures. Pourquoi en aurait-il entendu parler puisque, quelques semaines encore auparavant, il ne savait même pas qu'une histoire comme la sienne pouvait exister? En revanche, ce qu'il savait maintenant, c'est que cette his-toire était réservée aux garçons de douze ans, qu'ils ne s'en ouvraient à personne d'autre, et qu'ils gardaient cette com-plicité pour eux-mêmes. C'était leur monde et pénétrer ce monde était une façon parmi d'autres de rejoindre les rangs de ceux qui nous précèdent, une façon de grandir et de passer les étapes. Nul ne pouvait s'y soustraire et si tel était le sort commun, Pierre Fortin n'avait guère l'intention de faire exception à la règle. Il aurait même été contrarié d'apprendre que des éléments extérieurs à sa vie et à sa volonté propre auraient pu le détourner de ce chemin et de cette aventure sans qu'on ne lui demandât son avis, au seul regard de son âge, de son sexe et de sa condition. Le pire comme le meilleur pouvait arriver.

Au début, Pierre Fortin ne sentait pas toujours la présence de Tac-la-Main sur lui. Cette main savait se faire si légère, n'est-ce pas, si fureteuse, à peine perceptible, si discrète, si effacée, comme un souffle frémissant, une petite brise, une erreur, un égarement. Par la suite, cependant, elle s'affirmait peu à peu et savait aussi devenir si audacieuse, finalement, si intrépide, et même si appuyée, n'est-ce pas, si déterminée. C'était une métamorphose. Tac-la-Main venait se plaquer contre les plis du pantalon du petit garçon. Elle était là, agitée, agacée, se collait partout, palpait la toile du vêtement, cherchait à saisir, à attraper, à bien caler entre deux doigts tout ce qu'elle pouvait trouver. Elle s'immisçait par la moindre faille, s'enfonçait dans une poche béante, profitait d'un bouton mal retenu qu'elle faisait sauter, ou d'une fermeture éclair mal remontée, pour glisser toujours plus profond sous les épaisseurs et pour accéder encore plus proche du corps. Elle voulait tout s'approprier, tout ramener à elle, comme un propriétaire qui retrouverait tout à coup ses droits et son dû. Parfois devant, parfois derrière, elle essayait toutes les issues et ne renonçait jamais. Elle s'infiltrait par les côtés, cherchant toujours à toucher, à flatter, à mesurer, à estimer. Elle était toujours seule, unique, enfouie dans ces zones obscures de la promiscuité où elle intervenait sans contrôle. Tac-la-Main ne remontait jamais à la surface. Elle fuyait la lumière, le grand jour, et n'évoluait que dissimulée dans des profondeurs que personne ne scrutait véritablement et où nul, d'ailleurs, n'aurait eu l'idée de laisser perdre son regard. Sans rivale ni obstacle, hors du jugement du monde, elle échappait aux lois et aux condamnations. Libre et anonyme, elle semblait coupée de toute structure et de tout commandement. Tac-la-Main possédait sa propre logique et sa propre intelligence, petit corps autonome, animé d'une vie indépendante, elle courait comme un cheval fou lâché de par les champs à bride abattue, comme si rien nulle part ne la reliait à un autre corps ou à une quelconque volonté.

Dans les premiers temps, il arrivait que Pierre Fortin essaie à plusieurs reprises de résister à cette invasion de la main, un peu par réflexe, et sans trop savoir pourquoi, obéissant probablement à une sorte de gêne non raisonnée qui s'emparait de lui, mais aussi parce que l'instant, le lieu, l'inconnu le mettaient mal à l'aise, allant jusqu'à susciter une sorte de peur qu'il ne maîtrisait pas. Parallèlement, pourtant, il se sentait envahi par une curiosité si forte qu'elle immobilisait sa volonté et l'empêchait de refuser le geste, de s'y soustraire ou de s'en écarter. Pierre Fortin voulait savoir ce qui existait à l'autre extrémité de cette main-là, il voulait savoir si véritablement un être de chair et de sang, comme lui, se cachait à l'origine du mouvement ou s'il ne s'agissait que d'une pure folie, d'une énergie venue de nulle part et qui aurait choisi de le tourmenter lui, parmi tant d'autres, sans qu'il comprenne véritablement pourquoi. Pierre Fortin voulait aller au bout des sensations que la main promettait de lui faire découvrir, il voulait toucher le fond de son désir et mettre à l'épreuve sa résistance, tout comme sa volonté. Quel mystère, quelle exigence, quelle horreur peut-être, quel dégoût, mais quelle extase aussi, quel bonheur, quelle révélation, quel enchantement allaient enfin lui être révélés? Cette immense espérance se mêlait à une soif non moins immense d'être initié et d'apprendre ce qu'on avait refusé de lui montrer jusqu'à présent. Tout cela mis ensemble le poussait à demeurer là, figé sous cette main qui persistait, et tout cela l'incitait à ne pas renoncer, à ne pas se détourner et à ne pas dénoncer. Pierre Fortin ne criait pas, il n'appelait pas. En lui venait d'éclore quelque chose de plus fort que le simple désir de subir jusqu'au bout une première démarche initiatique. Il sentait s'élever en son for intérieur une audace nouvelle, et auparavant inconnue, qui l'enivrait et se nourrissait de ses rêves et de son imagination. C'était à la fois un appel et un tourment qui ne cessaient de croître en lui, plus intenses à chaque instant. C'était une force qui lui donnait le courage de braver le monde et les lois. Elle faisait battre son cœur et rosir ses joues; elle rendait fous les instants, prenait possession de tout son être, l'enlaçait de mille tentacules et s'ancrait à même son corps, décidée à ne plus jamais le rendre à autrui. C'était un envoûtement, que Pierre Fortin ne savait encore nommer et qui intervenait à même ses sens, à même son dégoût et sa peur; et cet envoûtement, cette chose, plus ancienne que le monde et pourtant renouvelée mille fois à chaque seconde, au-delà des normes et des conventions, cette chose insolente et destructrice qui l'habitait désormais, cette chose n'était autre que le plaisir.

C'est ainsi, par le plus grand des hasards, sur les chemins de l'école, de la véritable école et de l'école de la vie, au fil de ses longs trajets par route et par rail, c'est ainsi que Pierre Fortin eut la révélation de son plaisir. Ce fut une immense découverte qui le submergea en entier et dont il aimait s'imprégner, même si, parallèlement, il ne parvenait pas tout à fait à imaginer l'étendue des conséquences que cela impliquerait. Il ressentait une sorte de bonheur tranquille et, confronté à tant de nouvelles impressions et à tant de nouvelles sensations, il s'était accordé le droit de ne pas résister. Il s'était autorisé à se montrer offert, disponible, face à toutes les éventualités. C'était un pacte avec lui-même. Il se sentait prêt à accueillir les surprises du lendemain sans rien refuser, sans trier, et lorsqu'il songeait à cet état d'esprit qu'il venait d'adopter, il souriait dans le vide, parcouru de légers frissons. Cependant, s'il était heureux que son plaisir se fût manifesté et qu'il fût venu à lui, il se sentait incapable de le provoquer par lui-même, incapable d'aller dans son sens, de marcher vers lui. Il ne pouvait que se contenter de subir. Il restait donc inerte, sans réaction, passif et contemplatif. À ses yeux, être présent et ne pas se dérober étaient déjà en soi une façon d'agir et d'acquiescer. Il ne fallait pas songer à lui demander plus. Pour l'instant tout du moins.

Lorsqu'il montait dans l'un ou l'autre de ces wagons, dans l'un ou l'autre de ces trains ou de ces autobus, Pierre Fortin se mettait aussitôt dans l'état d'esprit d'une visite imminente. Son cœur battait à se rompre. Ses poumons étaient prêts à exploser. La poitrine oppressée, le sang brûlant, les sens aux aguets, il était plein de hâte, d'espérance et de confusion. Fébrile et impatient, il attendait que, tac, le moment, que, tac, la main, que, tac, la rencontre… Il attendait que Tac-la-Main vienne à lui. Il fermait les yeux et attendait qu'elle saisisse son corps, qu'elle l'arrache à cet anonymat forcé qui était le sien d'ordinaire et dont il ne voulait pas. Il attendait qu'elle fasse de lui son élu, son roi, son enfant adopté, qu'elle le choisisse parmi tous ces autres à son alentour et qu'elle le désigne secrètement de cette façon si intime qui lui était propre et qu'il aimait tant. Il raidissait son corps et rêvait déjà à cet instant qu'elle allait transformer en cérémonie suprême, à cette rencontre qu'elle allait changer en union clandestine, en alliance interdite et jalousement dissimulée, d'autant plus secrète qu'on la savait inavouable et par les autres à jamais condamnée. Curieux et intrigué, il se demandait chaque fois si Tac-la-Main viendrait de droite ou de gauche, si elle serait épaisse ou fine, insistante ou timide, experte ou débutante, hésitante ou affranchie. Porterait-elle aux doigts ces grosses bagues qui écorchaient tout sur leur passage et tiraient les fils des vêtements, ou n'aurait-elle pour tout ornement qu'une peau rendue calleuse par les dures journées d'ouvrage? Pierre Fortin se sentait ému et frétillant. Il voulait tout savoir d'avance. Tac-la-Main s'attarderait-elle plutôt devant ou plutôt derrière? Se limiterait-elle aux explorations de surface ou s'engagerait-elle d'emblée dans l'aventure des profondeurs et des dessous? Le jeune garçon tournait son visage vers les différentes silhouettes autour de lui, il guettait le moindre signe complice qui aurait pu le mettre sur la trace de celle qu'il attendait. Il cherchait à deviner, formulait des hypothèses et les premiers instants se passaient toujours ainsi, à enquêter, et Pierre Fortin était déjà au comble de sa joie.

Quelquefois, la tâche du jeune garçon était facile. Un simple coup d'œil lui suffisait pour se faire une idée précise de la situation. Tac-la-Main était là, il ne pouvait en douter, et pas ailleurs. D'autres fois, la prudence et la peur étaient telles, autour de lui, que les expressions et les attitudes ne trahissaient aucune complicité. Rien n'annonçait le pacte à venir. Pas un regard sur lequel s'appuyer, pas un geste, ne serait-il qu'esquissé. À perte de vue, les visages demeuraient fermés, éteints, et n'exprimaient rien d'autre que la fatigue et l'envie de descendre au plus tôt. Les corps adultes s'obstinaient à se tenir droits et distants, toujours trop éloignés de celui du garçon pour éveiller quoi que ce soit. Un mystère profond planait sur l'entourage du jeune Fortin. Celui-ci continuait alors à observer et à espérer cet indice infime qui trahirait une éventuelle connivence, comme un sourire discret, un tremblement du menton, un clignement d'œil ou n'importe lequel de ces petits détails qui mieux que des mots lui indiquerait que Tac-la-Main était bel et bien là, qu'elle se cachait tout près et qu'elle allait surgir bientôt de derrière tel porte-documents, tel manteau, telle veste, tel imperméable. Elle était à l'abri, prudemment repliée derrière un quelconque vêtement, mais elle ne l'oubliait pas. Elle attendait son heure, et c'était tout, il pouvait compter sur elle.

De tout le processus qui se déroulait chaque fois qu'il montait dans un quelconque transport en commun, Pierre Fortin aimait les moindres étapes et les moindres états, de l'attente dans l'inquiétude au plaisir de la rencontre, de la curiosité à l'excitation de l'enquête, et de la découverte au bonheur de la complicité. Sur ce plan, il ne connut jamais la moindre déconvenue. Jamais il ne fut ni déçu, ni triste, ni désappointé. Tac-la-Main enchantait littéralement ses voyages, transformait en aventure ce qui était terne et maussade, ajoutait du piquant à ce qui en était dépourvu et lui faisait oublier toutes ces destinations lointaines où il n'était jamais attendu et où il ne désirait jamais vraiment se rendre. Tac-la-Main était devenue sa part de rêve, de chaleur, son point de contact avec le monde adulte, avec l'extérieur et avec l'émotion pure. Mieux que n'importe quel livre ou que n'importe quelle émission télévisée pour la jeunesse, elle le divertissait et lui faisait paraître plus courts des temps de trajet qui, sinon, l'auraient ennuyé et qu'il aurait consacrés à broyer du noir, à maudire, à se désespérer. Mieux que n'importe quel personnage de film ou de dessin animé, elle lui montrait le chemin de la vie, l'initiait au secret des sens, éveillait son corps et son esprit, le confrontait aux valeurs de l'Occident, à la morale, aux notions d'interdit, de danger et de peur qu'il apprenait à relativiser. Tac-la-Main l'aidait à grandir, à marcher aux devants de lui-même, et elle l'accompagnait un peu plus loin chaque semaine sur les chemins de l'expérience, de la maturité et de la connaissance. Grâce à elle, Pierre Fortin se sentait plus fort, disposé à se battre pour ce qui lui importait, prêt à défier les commandements établis et à braver, s'il le fallait, l'autorité d'autrui. Il avait appris à se méfier des idées préconçues et avait décidé, à l'avenir, de remettre en question le bien-fondé de toutes celles qu'on ne manquerait pas de vouloir lui imposer.

Avec le temps, Pierre Fortin prit de l'assurance. S'il arrivait que Tac-la-Main se fasse attendre, qu'elle soit un tantinet trop hésitante ou trop lente à se manifester, Pierre Fortin bouillait littéralement d'impatience. Il ne supportait plus ce temps perdu à guetter interminablement sa venue, figé et immobile, comme un chat aux aguets. Il ne parvenait plus à se contrôler et à rester sagement confiné dans son espérance. Il la voulait là, maintenant, pressée sur lui, déjà à l'œuvre, obéissante et soumise. Il la voulait dans l'instant même où son désir prenait forme, à peine le véhicule, le train, le métro s'était-il remis en marche après l'arrêt réglementaire, à peine les premiers mètres de la ligne étaient-ils couverts. Il ne tolérait plus qu'elle se fasse désirer si longuement et qu'elle hésite à venir le rejoindre alors que son corps tout entier l'appelait si violemment. Il savait que Tac-la-Main ne se donnait que parcimonieusement, qu'elle se montrait réticente parfois, et le seul constat de tout ce qui pouvait le séparer d'elle, de la fragilité de leur rencontre et de sa brièveté remplissait le jeune garçon d'amertume inévitablement. Son humeur demeurait sombre, par la suite, pendant de longs moments. Seule Tac-la-Main pouvait le ramener à la vie, et si elle ne se décidait pas à survenir assez vite, agacé et survolté, Pierre Fortin partait à sa rencontre.

Quelques mouvements habiles du corps, du bassin, quelques frottements judicieux ou quelques bousculades accentuées lors d'un brusque ralentissement et Pierre Fortin explorait méthodiquement son entourage. Il provoquait les uns et les autres, se plaçait dans des situations ambiguës tout en feignant l'innocence. Il accédait à l'intimité d'autrui et s'y vautrait délibérément, caressait d'un doigt insistant des poings fermés et des paumes ouvertes, et tentait de les secouer, de les sortir d'une torpeur à ses yeux inacceptable. D'un de ces corps, il attendait le salut, il lui fallait rallumer sa flamme, chauffer ses membres endormis, ranimer son souffle, titiller ses nerfs engourdis. Les petits doigts courts de Pierre Fortin filaient sur tous ces bras insolemment immobiles à ses côtés et qui ne semblaient même pas étonnés d'être ainsi bousculés, ils s'attardaient à même leur peau nue, au-delà du raisonnable, et s'employaient avec acharnement à les faire réagir, comme s'ils frappaient à une porte obstinément close qu'on voudrait ouvrir à n'importe quel prix. «Êtes-vous Tac-la-Main?» criaient les doigts de Pierre Fortin qui continuaient leur manège et se heurtaient toujours un peu partout. «Êtes-vous celle qui me reconnaît chaque fois dans le noir sans même que je sache qui l'envoie? Êtes-vous celle qui m'a choisi, moi parmi tous les autres, et qui me revient comme une amoureuse? Êtes-vous le messager de Tac-la-Main? Comment la reconnaître, comment être sûr? Elle prend tant de formes variées et se dissimule derrière tant de visages, tant de personnages différents!» «Êtes-vous Tac-la-Main?» répétaient inlassablement les doigts de Pierre Fortin. «Êtes-vous Tac-la-Main?» lançaient-ils, comme une rengaine, un refrain. Et Tac-la-Main surgissait toujours. Comme ça, tout à coup, elle était là, magnifique et insolente, superbe et provocante, plus active que jamais, plus désirable aussi. Alors, Pierre Fortin se tendait vers elle pour la rejoindre au plus vite et, chaque fois, tous les deux s'aimaient. Ils étaient ensemble et Pierre Fortin était heureux.

Un jour, un homme descendit du train en même temps que Pierre Fortin et le suivit longuement dans les couloirs de correspondance des gares et des stations, jusqu'à d'autres trains, d'autres métros, d'autres autobus. Ce fut une expérience nouvelle. Régulièrement, Pierre Fortin jetait un coup d'œil par-dessus son épaule pour vérifier si l'homme le poursuivait toujours et chaque fois il était étonné de le trouver là, à quelques pas de lui, fidèle et obstiné. La présence de l'homme sur ses traces ne l'inquiétait pas. Elle ne le réjouissait pas non plus. Face à ce qui lui était étranger, Pierre Fortin manifestait toujours la même neutralité. Comme en attente, il se contentait d'abord d'observer, sans peur et sans *a priori*, l'esprit attentif et curieux. Il n'aurait jamais songé à fuir ou à témoigner de l'hostilité et il accueillait ce que sa vie lui offrait d'insolite avec sur le visage la même expression de parfaite indifférence.

Il ignorait qu'aux yeux des autres cette réserve dans son comportement et cette absence de condamnation sur ses traits présentaient quelque chose de rassurant et même d'invitant. L'homme continua ainsi à le suivre d'un bon pas pendant de longs moments. Les correspondances et les moyens de transport s'enchaînèrent comme chaque fois à un train d'enfer sans que rien ne vînt à bout de sa détermination. Plus le trajet approchait de son terme, plus Pierre Fortin se sentait grisé par la ténacité de son suiveur. Il ne pensait guère alors à la suite qu'il conviendrait de donner à cette marche. Il n'envisageait aucune conséquence à ses actes et se serait montré incapable, s'il l'eût fallu, de se projeter au-delà du présent et de calculer ou de prévoir plus loin que ce qu'il vivait dans l'instant immédiat. Seul son sentiment comptait, cette immense fierté qui prédominait sur toute raison. Encouragé, l'homme poursuivit sa route et se rendit ainsi jusqu'au domicile de Pierre Fortin. Sans ralentir, il s'engouffra à la suite du jeune garçon dans la cage d'escalier de l'immeuble, puis il se tint immobile dans un recoin obscur des étages inférieurs. Pierre Fortin le savait là, à quelques pas, mais que faire? Le rejoindre, lui parler, n'auraient servi à rien et c'est encore tout étourdi, la tête toujours pleine de l'ivresse de cette nouvelle aventure, que Pierre Fortin fit retentir la sonnerie de son appartement. L'homme ne se résigna pas tout de suite à rebrousser chemin. Tapi quelques marches en dessous, il écoutait, silencieux et solennel, les bruits de la vie de palier. Il entendit Évelyne qui venait ouvrir en prononçant son traditionnel «Tiens, c'est vendredi!» Sa voix claire rebondit dans tout l'espace. L'homme crut sans doute à la présence d'une adulte et, cette fois, il prit peur. À quelques bruissements furtifs, Pierre Fortin comprit qu'il venait de quitter les lieux. «Ce n'est qu'un au revoir...» pensa-t-il alors.

Cet épisode fut à la source de nouveaux changements dans la vie du jeune Fortin. Sans jamais l'avoir soupçonné auparavant, il venait de mesurer combien les éventualités de rencontres avec Tac-la-Main étaient en réalité plus nombreuses et plus diverses que tout ce qu'il avait pu imaginer. Il sut du jour au lendemain que derrière Tac-la-Main se cachaient bien d'autres choses que le bref petit intermède sans visage qu'il avait connu jusqu'alors dans la pénombre et la promiscuité des moyens de transport, et qui s'évanouissait toujours si vite sans jamais laisser de traces. Tac-la-Main n'était pas condamnée à respirer les dessous humains et à évoluer au cœur de la foule anonyme et compressée des heures de pointe. Tout au contraire, ses possibilités étaient multiples. Tac-la-Main existait ailleurs, démultipliée, sous bien d'autres formes. Elle pouvait en fait s'épanouir de mille manières différentes, dans toutes sortes de lieux, autant à l'intérieur qu'à l'extérieur, autant dans la lumière que dans l'obscurité, autant visible que dissimulée. Ce fut une révélation. Tout était donc possible. Le jeune Fortin saisit brusquement, comme dans l'illumination d'un éclair, que Tac-la-Main était vivante, qu'elle possédait aussi des bras, un buste, un corps tout entier qu'animaient un cœur et un esprit. Elle avait des yeux qui voyaient, une bouche qui parlait et des lèvres qui embrassaient. Elle pouvait marcher, rire, aimer. Elle était comme lui. Tac-la-Main était son égale. Il n'existait pas d'endroit où elle ne pourrait aller si lui aussi pouvait y aller, et il n'existait pas d'action qu'elle ne pourrait entreprendre si lui-même parvenait à les entreprendre. Sa présence désormais ne connaîtrait aucune limite. Dans le même temps qu'il prenait conscience de l'immensité de ce qui à l'avenir l'attendait, Pierre Fortin comprit qu'il venait de vouer sa vie à Tac-la-Main. Dorénavant, il la voulait à ses côtés en permanence, complice éternelle et irremplaçable. Il la voyait avancer avec lui dans les rues, et avec lui entrer dans les magasins, avec lui s'asseoir aux terrasses des cafés et à la table des restaurants, avec lui pénétrer dans les salles de théâtre et de cinéma, voyager, travailler, avec lui sortir dans des fêtes et rencontrer des amis. Leur union, il en était sûr, s'exprimerait à tout instant et dans tout lieu. Plus qu'une découverte, ce fut un nouveau soulagement dans la vie de Pierre Fortin. Tout à coup, de nouvelles perspectives s'ouvraient devant lui, ses horizons se dégagèrent et ce qui se révéla alors était aussi clair et lumineux que le cristal.

En conséquence de ce qu'il venait de découvrir, Pierre Fortin se prit à rêver de quitter à son tour la touffeur des métros, des trains et des autobus pour se lancer à l'occasion sur les traces de Tac-la-Main. Il se devait d'élargir leur univers, de leur offrir de nouvelles aventures, de se payer le luxe d'aller plus loin, ailleurs et autrement. Une ère de liberté et de fantaisie allait s'ouvrir devant eux. Pierre Fortin adopta dès lors une nouvelle façon de procéder. Il n'était plus question de laisser l'initiative aux autres. C'était à lui, à présent, de prendre en mains les rênes de son destin et de montrer clairement ce qu'il attendait. Tac-la-Main ne le quitterait plus, comme ça, sans lui demander son avis, le laissant chaque fois dans le désarroi le plus total. Il ne resterait plus passif, traumatisé par ce départ et par la perte de cette chaleur sur lui. Désormais, à peine pressentait-il à mille petits signes que Tac-la-Main allait s'éloigner de lui, qu'elle allait se refermer tout à coup comme une fleur en train de mourir et qu'elle allait le quitter au prochain arrêt, qu'il se préparait lui aussi à descendre avec elle. D'emblée, son projet le grisait. Il se sentait particulièrement fier de sa détermination, de cette audace qui allait le pousser à marcher plus avant à la rencontre de Tac-la-Main. Il était comme un militant et éprouvait un immense bonheur à la perspective de montrer à tous que malgré les lois, les *a priori* et les apparences, il était capable de plus et de mieux que le petit scénario qui se produisait habituellement. Il était habité par de véritables rêves de grandeur. Il était sûr de la pertinence de son choix et de la légitimité de ses actes, et sûr aussi de l'émotion que son attitude allait susciter. Bref, il était heureux et c'est dans une extrême jubilation, le souffle retenu, le cœur battant et oppressé, qu'il attendait le grand moment de la sortie vers le mouvement du monde.

Dès l'ouverture des portes, Pierre Fortin bousculait les obstacles sur son passage et se ruait à l'extérieur, tout attentif à ne pas perdre de vue la silhouette qui s'élançait parmi les autres au-devant de lui. Bouleversé par la perspective de la

143

rencontre qui allait avoir lieu, il longeait en frémissant des dizaines et des dizaines de mètres de couloirs, de chaussées encombrées et de quais surchargés. Les yeux rivés sur son nouveau repère, il marchait comme un automate, la tête pleine d'images et d'illusions. Il était exalté et plus rien de sa vie ne lui pesait plus alors. Pour la première fois, il allait aborder Tac-la-Main. Il allait pouvoir lui parler et lui sourire franchement, en regardant ses yeux bien en face, et non plus à la dérobée comme il avait toujours été contraint de le faire. Ensemble, ils allaient élaborer toutes sortes de plans, ils allaient se donner des rendez-vous et comploter des rencontres, choisir des lieux et des moments qui ne seraient qu'à eux seuls consacrés. C'était la fin de la clandestinité et de la soumission, la fin aussi des élans retenus, des mots étouffés et des gestes inachevés. Ils avaient tout le temps. Ils allaient se rejoindre et une fusion merveilleuse allait commencer. Il suffisait de quelques pas et tout cela allait se concrétiser. Pierre Fortin marchait toujours et restait vigilant. Tant de choses, impensables encore quelques jours auparavant, lui paraissaient tout à coup si simples. Quelques pas, quelques pas seulement, et il tendrait la main. Il dirait: «Je suis là», il dirait: «Je suis venu pour ça» et leur histoire, enfin, pourrait se dérouler devant eux, et elle serait vaste comme une avenue, fière et droite comme un chemin de fer, et lumineuse comme un arc-en-ciel.

Immanquablement, pourtant, Pierre Fortin était obligé de se rendre à l'évidence. Les choses ne se passaient jamais comme il les avait imaginées. Chaque fois, pourtant, il espérait, il se précipitait au-dehors et se laissait emporter par ses espérances, mais chaque fois, l'aventure se déroulait autrement et surtout, surtout, elle s'achevait toujours de cette même terrible façon. La réalité était implacable mais elle était ainsi, Tac-la-Main ne se laissait jamais rejoindre. À peine l'escapade avait-elle commencé que Tac-la-Main ne tardait pas à remarquer l'insouciante présence du jeune Fortin qui vagabondait sur ses talons. Au bout de quelques minutes, quand il apparaissait clairement qu'il ne s'agissait pas là d'une simple coïncidence, Tac-la-Main se sentait traquée et prenait peur.

Dès lors, non seulement la distance entre eux deux ne diminuait jamais, mais il était visible que Tac-la-Main faisait tout pour qu'elle s'accroisse encore. Consterné, Pierre Fortin découvrait sans comprendre les regards de panique que l'objet de son désir jetait par-dessus son épaule. Il le voyait accélérer sa démarche jusqu'à presque courir. La silhouette devant lui adoptait tout à coup un petit trot serré et ridicule. Ses bras s'agitaient comme des balanciers affolés sur ses côtés. Son déhanchement s'accentuait et devenait saccadé. Très vite, les regards par-dessus l'épaule se succédaient à intervalles de plus en plus rapprochés, chargés d'un sombre reproche et obscurcis par la colère. C'était fichu. Qu'était-il possible d'espérer dans de telles conditions? Tac-la-Main ne voulait pas de lui. Le pacte de confiance s'arrêtait là. Désappointé, Pierre Fortin décidait alors de renoncer et ralentissait sa course. Il n'insistait pas. Mécaniquement, ses jambes le portaient quelques mètres encore pendant lesquels il voyait Tac-la-Main continuer sans lui sa fuite honteuse et désespérée, puis il s'immobilisait tout à fait.

Pierre Fortin restait ainsi quelques secondes, hébété. Il regardait la foule avaler en un instant les dernières traces de Tac-la-Main et se refermer tout à fait sur elle comme des sables mouvants, tandis qu'au loin déjà les perspectives commençaient à se brouiller. Ensuite seulement, songeait-il à lever la tête vers ce qui l'entourait. Il se rendait compte tout à coup qu'il ne savait plus où il était. Ses yeux s'ouvraient soudain sur des paysages, des lieux, des décors qu'il ne connaissait pas et jusqu'auxquels sa hâte et son enthousiasme aveugles l'avaient entraîné. Il était perdu, seul, et la stupeur d'avoir été lâché par celle qui comptait plus que tout à ses yeux rendait alors sa douleur si aiguë qu'il ne pouvait se concentrer sur rien d'autre. Dans ces moments-là, ni la peur ni les regrets ne pouvaient avoir d'emprise sur lui. Sans réfléchir, il rebroussait chemin et se mettait sagement en route, indifférent à tout. Il avait beau tourner la question dans tous les sens, il lui était impossible d'accepter les limites que Tac-la-Main, elle-même, était en train d'imposer à leur relation. Il ne les comprenait pas. Au fond de lui grondait une révolte sourde. Il se persuadait qu'il avait fait quelque chose de mal, il se sentait responsable et, sans jamais réussir à trouver de réponse, il se tourmentait longuement pour savoir ce qui n'allait pas dans son comportement. Tac-la-Main l'avait rejeté. Il était renié, abandonné. Ce fut sa première déconvenue.

Une fois, une seule, un homme ralentit sa marche et accepta que le jeune Fortin calque son pas sur le sien. C'était un homme aux yeux et aux cheveux foncés. Il était en habit de travail, pas très grand. Il n'avait l'air ni meilleur ni plus doux qu'un autre, mais il ne semblait pas menaçant pour autant. Il ne parlait pas. Son visage était un peu fermé, éteint par la fatigue. Pierre Fortin usa tout le temps de leur avancée à l'observer longuement et se réjouissait d'avoir enfin le loisir de poser ses yeux avec attention sur autre chose qu'une main fugitive. C'était la première fois. Ce qu'il découvrait aurait pu le décevoir, car s'il avait espéré que Tac-la-Main posséderait dans son ensemble un petit quelque chose de particulier, qui le fascinerait au premier regard et qui établirait entre eux une complicité naturelle, comme un signe de reconnaissance ou de connivence, il n'y avait rien de tel en fait chez cet homme maussade qui faisait à peine attention à lui, mais au-delà de tout, Pierre Fortin se voulait confiant. Il se laissa ainsi guider tout au long des couloirs souterrains dont les carreaux de faïence blanche semblaient se renouveler à l'infini, inlassablement, puis l'homme le conduisit à l'extérieur, dans les rues de Paris. Pierre Fortin n'avait pas l'habitude de sortir au-dehors. Les noms de places, de rues et de monuments correspondaient essentiellement pour lui à des arrêts sur un trajet, à des stations de correspondance ou à des terminus de ligne, mais il ne connaissait pour ainsi dire pas leur réalité virtuelle. C'était comme si la surface de Paris tout entière était à deux étages, un niveau en sous-sol, avec lequel il était familier, et un niveau supérieur, exposé au grand jour, dont il ne savait rien. Un instant, il resta surpris de découvrir qu'au-dessus des tunnels et de l'animation des transports en commun, il existait un autre monde tout aussi dense et actif. Il y avait partout tant d'agitation. Ici la vie se déroulait à ciel ouvert, ce qui donna tout à coup à Pierre Fortin un extraordinaire sentiment de liberté. L'horizon était dégagé. La lumière, malgré la fin du jour, demeurait intense. Tout devait être possible dans un tel espace.

Devant eux, à perte de vue, le Xe arrondissement offrait dans un même élan ses larges avenues et ses petites rues tortueuses. Pierre Fortin et l'homme inconnu s'engagèrent dans l'une d'elles, étroite et sombre, jusqu'à se cogner contre une cour fermée qui achevait la voie en impasse. Au-dessus des immeubles et des toits, on parvenait encore à distinguer la silhouette bienveillante et majestueuse du Sacré-Cœur qui se profilait, tout en courbes, dans son éternelle clarté. Les bruits de la ville s'étaient tus. L'endroit était vide, déserté, d'une tranquillité de cimetière. Par instinct, l'homme et Pierre Fortin s'étaient réfugiés dans un coin retiré de la cour, à l'abri de tout regard, et par instinct également, Pierre Fortin commença aussitôt à défaire ses vêtements. Ils n'échangèrent pas une parole. Quand Pierre Fortin se retrouva à demi nu dans cet air doux et humide qui ne quitte jamais Paris d'une saison à l'autre, l'homme, d'un geste de la main, lui fit signe de se tourner dos à lui. Pierre Fortin pivota lentement sur lui-même. La boucle de sa ceinture, qui reposait à présent à même la terre, racla le sol lamentablement avec des grincements de chaînes. Puis, pendant un temps infini, il ne se passa rien. Pierre Fortin avait appuyé ses mains devant lui, contre un vieux mur décrépi, et le corps tendu, incliné et immobile, il contemplait sans pensée les petits détails des fissures dans le plâtre. C'est alors qu'un premier jet, chaud et épais, s'abattit sur son dos. Pierre Fortin ne bougea pas. On ne lui en avait pas donné l'ordre. Il sentait le poids des petites flaques sur sa peau, comme autant de points d'impact, puis, le liquide se mit à couler, lentement, laissant derrière lui des sillons mouillés que le vent s'employait à sécher aussitôt. Pierre Fortin ne bougeait toujours pas. C'est alors, après un très bref délai, lui sembla-t-il, qu'un second jet, plus puissant encore, l'atteignit à nouveau, mais cette fois très haut, presque entre les omoplates. Ce deuxième jet était plus chaud que le premier et il était très long aussi. Il coulait avec abondance et se répandait partout, sur toute la surface offerte du dos de Pierre Fortin, et le jeune garçon ne put s'empêcher d'éprouver une sensation bienfaisante. C'était comme un bain tiède qui venait l'engloutir, une immense caresse comme il n'en avait encore jamais reçu. Le liquide à présent coulait tout au long de ses jambes, toujours chaud et doux, et mouillait son pantalon écrasé en accordéon. Il le laissa faire un instant, jusqu'à ce que la situation devienne soudain tout à fait inconfortable. Alors, comme un immense château de cartes qui se serait écroulé sous ses yeux, toute impression de plaisir disparut de Pierre Fortin en l'espace de quelques secondes. Tout à coup il ne ressentit plus rien de la félicité qui l'avait envahi si peu de temps auparavant. Il se redressa brusquement, frotta ses mains endolories et hésita un moment avant de se décider à pivoter à nouveau sur lui-même. L'homme n'était plus là. Pierre Fortin fouilla du regard l'extrémité de la cour et il aperçut une silhouette qui s'éloignait, nonchalante, les mains enfouies dans les poches. De nouveau, il était seul. Pierre Fortin se pencha pour ramasser ses vêtements et il se rendit compte alors seulement qu'ils étaient imbibés d'urine. Pierre Fortin ouvrit des yeux immenses. L'odeur tout à coup lui sauta à la gorge et elle était insoutenable. Il était stupéfait. C'était comme s'il venait de comprendre et de conceptualiser en un éclair ce qu'il s'était contenté de subir jusque-là dans une sorte d'anesthésie. Il mesura alors l'immensité de sa honte et de sa déception. Il était dégoûté, ses jambes et son dos lui répugnaient, le brûlaient littéralement. Il voulut s'essuyer. Il n'avait rien pour le faire.

Malgré toutes ces déconvenues, Pierre Fortin se refusait à retirer sa confiance en Tac-la-Main. Il était sûr de son bonheur à venir et sûr des conditions dans lesquelles il allait venir, c'est-à-dire avec elle. Il ne craignait pas les obstacles sur son chemin. Cependant, il ignorait alors qu'une nouvelle épreuve l'attendait encore, une épreuve plus terrible que toutes celles qu'il venait de rencontrer déjà, car ce qui allait s'abattre sur lui d'ici peu aurait la violence extrême d'un choc de plein fouet. Cela prendrait les allures d'une véritable catastrophe, impitoyable comme un tremblement de terre, dévastateur comme un cyclone et, tout comme eux, cela serait totalement inévitable, imprévisible et imparable.

De la même façon qu'il existait cette loi universelle qui veut que, dans tous les métros du monde, tous les autobus, tous les trains, s'il y a une foule et s'il y a un petit garçon de douze ans perdu dans cette foule, serré par elle, il y a aussi forcément une main pour venir se coller contre lui, il existait également une autre loi, tout aussi universelle, mais cela Pierre Fortin l'ignorait, qui veut que ce même petit garçon soit déserté de façon définitive par cette même main, sitôt perdait-il ses airs d'adolescent, d'un jour à l'autre, et ce sans qu'il comprenne jamais pourquoi. Combien de mois, de trimestres ou d'années même cela prit-il avant d'en arriver là? Pierre Fortin n'en avait aucune conscience précise. Tout s'était mis en place tellement lentement, d'infime détail en infime détail, et le mal avait gagné du terrain, comme ces maladies sournoises qui rampent d'abord sous la peau ou dans les chairs avant d'exploser au grand jour avec la violence d'un volcan. Pierre Fortin n'avait rien vu venir, mais il sentit, tout à coup, un matin qui aurait pu paraître en tous points pareil aux autres, il sentit que le volcan était proche de gronder et d'entrer en irruption. Les choses avaient changé. Une sorte de brouillard protecteur, qu'il avait maintenu flottant autour de lui et qui parfois brouillait sa vue et masquait les imperfections du monde, confortant son univers, était à présent en train de se dissiper lentement et lui révélait peu à peu le spectacle désolé d'une fin de fête. Au beau milieu de la foule, tassé comme à l'ordinaire, ce matin-là, Pierre Fortin eut brusquement conscience qu'il s'avançait vers une terrible révélation. Tac-la-Main n'était plus la même. Il se l'avouait maintenant. Depuis quelque temps, elle avait réduit ses interventions, elle ne surgissait plus avec la même hâte, elle se faisait distante et méfiante, elle hésitait trop longuement avant de se manifester et, lorsqu'elle se décidait enfin, elle ne restait sur lui que quelques secondes à peine, au lieu de s'attarder avec délice comme elle avait toujours eu l'habitude de le faire. Puis, très vite, vint le moment où elle se fit tout à fait rare. Elle n'intervenait plus alors qu'à d'exceptionnelles occasions, promeneuse furtive et égarée, et uniquement encore si les circonstances étaient à ce point favorables qu'il aurait été pour elle quasiment impossible de ne pas paraître.

Pierre Fortin s'interrogeait avec angoisse sur les raisons d'un changement si radical. Était-il devenu moche, moins séduisant aux yeux d'autrui? Avait-il perdu quelque chose qu'il possédait auparavant et que l'âge ou le temps aurait fini par gâter? Il n'aurait su le dire. Il se fouillait intérieurement, mais en vain. L'assurance, qu'il avait acquise avec le temps, lui donnait-elle un air si provocant qu'au lieu de les attirer, il suscitait la méfiance de ceux qui voulaient l'approcher? Comment tout cela était-il possible? Il fallait bien qu'il y ait une explication, quelque part, qu'il y ait des torts, des responsabilités... Pierre Fortin s'aventurait dans mille directions à la fois. La faute venait-elle de lui-même, de Tac-la-Main, ou encore du contexte des transports en commun qui aurait évolué brusquement? Qui était coupable? La foule se montrait-elle plus suspicieuse aujourd'hui? S'était-elle refusée soudain à jouer plus longtemps son rôle de protection et d'abri naturel? Sa densité s'était-elle avérée tout à coup insuffisante pour dissimuler efficacement une quelconque entreprise amoureuse? Pierre Fortin tournait toujours le problème dans tous les sens et ne trouvait pas le moindre indice auquel se raccrocher. Une seule certitude alors finissait par s'imposer. Impuissant, paralysé par la peur, il la voyait fondre sur lui comme le couperet d'une guillotine. Tac-la-Main le quittait. Lentement, mais inéluctablement, comme la vie se retire quand l'agonie s'installe. Il le savait à présent. Un jour, elle disparaîtrait tout à fait.

Fidèle et obstiné, Pierre Fortin décida une fois de plus d'agir par lui-même et de passer aux actes. Il allait reconquérir Tac-la-Main et la sauver malgré elle, comme le font ces vieux amants qui essaient avec noblesse de rallumer d'anciennes flammes qu'ils savent en déclin. Il ne songeait plus qu'à ça désormais et, déterminé, il entreprit de partir à la recherche de la disparue et de déployer dans cette ultime tentative plus de fougue que jamais il n'en avait montré. Il engagea tout son talent dans cette entreprise de reconquête et inventa mille et une nouvelles façons de séduire ou d'attirer l'attention. Avec l'enthousiasme du désespoir, il fit à nouveau appel, et en abondance, à ces mêmes ruses, à ces mêmes provocations et à tous ces procédés qu'il avait si souvent utilisés auparavant et qui lui avaient si bien réussi jusque-là. Explorateur méthodique et appliqué, il tenta de dénicher Tac-la-Main dans tous les coins et recoins où elle aurait pu trouver refuge, sous chaque pan de vêtement, derrière chaque objet, chaque poing fermé. Il se frottait partout, s'acharnant avec passion et ne négligeant aucune piste. Plusieurs fois encore, il crut reconnaître Tac-la-Main, au hasard d'un frottement insistant ou de contacts répétés entre un voyageur et lui. Aussitôt, une douce chaleur l'envahissait. Tac-la-Main était de retour, c'était une fête, et tout son être se préparait à revivre l'éblouissant bonheur de cette merveilleuse union. Ses gestes retrouvaient comme par enchantement la souplesse et la grâce des jours anciens.

Quand il croyait percevoir le frémissement des retrouvailles prochaines, Pierre Fortin ne doutait plus de rien. Quoique fébrile, l'attente lui devenait dès lors un repos, chargé d'espérance, pendant lequel son corps, déjà apaisé, respirait librement et redécouvrait ses harmonies profondes. La perspective d'être enfin reconnu et de nouveau comblé le grisait littéralement. Des images surgissaient devant ses yeux et, par avance, il parcourait intérieurement avec délice la gamme prodigieuse des émotions que Tac-la-Main suscitait toujours en lui et qu'il était sûr de retrouver d'un instant à l'autre. Sa joie était sans limites. Tout allait recommencer. Très vite, cependant, il était obligé de revenir à la réalité. Autour de lui, rien ne se produisait. Pas le moindre frémissement. Pas une caresse. Les gens continuaient d'entrer et de sortir sans même le remarquer, indifférents aux autres. Il s'était trompé. Il fallait en convenir. Son corps, comme la veille, demeurait déserté et inutile, terre sèche et aride sur laquelle plus rien à présent ne viendrait jamais éclore. Tout ce que Pierre Fortin avait interprété comme autant de preuves du retour de Tac-la-Main n'était que le fruit de son imagination et de son désir insensé de retrouver celle qui était à jamais perdue. Encore une fois ses rêves l'avaient emporté trop loin, sans qu'il n'y prenne garde, dans un monde idéal qui n'existait plus, et lorsqu'il en prenait conscience et qu'il revenait de ses vagabondages trompeurs, il voyait ses illusions, tout autour de lui, qui se heurtaient au vide et au silence, petites choses misérables, tout comme un papillon se cogne désespérément à une ampoule, aveugle et aveuglé, sans jamais chercher ailleurs la lumière et la chaleur du soleil.

Un jour, il arriva qu'un homme immense, à la peau basanée et à la terrible moustache, vint se coller contre Pierre Fortin. C'était un Nord-Africain, et des Nord-Africains, Pierre Fortin en avait déjà connu plusieurs. Il avait été avec eux jusqu'au bout de tous les possibles, et avait vécu l'expérience d'une sensualité torride et à fleur de peau. La seule caresse du vent dans leurs cheveux, disait-on, pouvait changer leurs ardeurs en braise et électriser leurs sens. De suite, Pierre Fortin sut que l'occasion était là, à nouveau, et que Tac-la-Main venait de le retrouver. Il sut qu'elle allait se manifester à travers cet homme, qu'il n'était pas possible qu'il en soit autrement, et qu'après tant de jours de réclusion, une telle situation, si propice et si magnifiquement agencée, ne pouvait être le fruit du hasard. Dans le même temps, Pierre Fortin sut qu'il lui serait impossible de ne pas répondre à une telle invitation, que cela ne serait pas convenable, pas envisageable. Il eut même la conviction, tout à coup, qu'on lui commandait quelque part d'anticiper la démarche de Tac-la-Main et qu'il se devait de se déclarer au plus tôt, comme pour témoigner de sa gratitude infinie face à ce retour inespéré. Dès lors, il n'hésita pas trente secondes. Il attendait ce moment depuis tellement longtemps déjà qu'il n'était pas question de le retarder d'un seul instant de plus. Ainsi, d'un geste sûr et dans un élan magnifique, le jeune Fortin plaqua-t-il sa main directement, sans nulle précaution ni préambule, sur la braguette de son voisin et l'abandonna-t-il à cette place, inerte et solennelle, comme un objet détaché de lui qu'il aurait envoyé en ambassadeur pour présenter ses respects à un visiteur de marque.

Au début, il ne se passa rien. C'était normal. Il fallait compter avec l'effet de surprise. Le courant ne pouvait pas circuler si vite, comme ça, de façon aussi instantanée. Pierre Fortin entreprit alors de masser méthodiquement la toile légère du pantalon et de dessiner des petits cercles successifs qui allaient en s'élargissant sur toute la surface entre les jambes, tout en s'attardant particulièrement à la pliure des membres. Il ne se passait toujours rien. Cette fois, c'était plus inquiétant. Pierre Fortin insista encore un peu, attentif et scrupuleux, mais toujours sans succès. Il sentit alors que quelque chose lui échappait. Les événements ne se produisaient pas dans l'ordre qu'il avait imaginé, et même pire, voici qu'ils s'acharnaient maintenant à rester exactement contraires à tous les desseins que le jeune garçon avait formés pour eux en cette occasion. Ne sachant plus quoi faire, Pierre Fortin finit par se décider à tourner son visage vers celui de son voisin et à le regarder timidement bien que sans faillir. L'homme d'Afrique du Nord était totalement immobile, saisi par la stupeur, les bras collés le long du corps et le buste un peu incliné en arrière, comme pour prendre du recul, pour s'arracher de là où le sort l'avait planté et pour se retirer de cette scène qu'il n'avait pas demandé à jouer. La moustache dressée, il roulait des yeux de fou en direction du jeune Fortin, la bouche ouverte, sans trouver quoi dire. Sa peau cuivrée était dominée à présent par la pâleur de la cire et son expression tout entière semblait avoir été moulée directement sur un masque de la *commedia dell' arte*, les sourcils en accent circonflexe et les joues arrondies.

Pierre Fortin et l'homme d'Afrique du Nord restèrent quelques secondes ainsi, face à face, à se contempler dans un silence profond et dans une complète absence de mouvement. Plus le jeune Fortin découvrait les marques persistantes de l'étonnement sur le visage de l'homme d'Afrique du Nord, des marques non dénuées d'un certain effroi, et même d'une sorte de peur, plus il parvenait à mesurer l'étendue de son erreur et de son impertinence. C'était un constat épouvantable. Jamais il ne s'était aventuré aussi loin jusqu'alors dans l'affirmation de son désir et, pour son malheur, jamais non plus il ne s'était trompé à ce point sur quelqu'un. Une angoisse insurmontable s'empara de lui. D'un seul coup, il eut les joues en feu tandis que son sang se retirait des extrémités de ses membres. Il était brûlant et glacé à la fois. Ses jambes le lâchaient. Il était sûr qu'il allait défaillir d'un instant à l'autre et qu'il s'écroulerait de tout son long au beau milieu de la foule. N'était-ce pas d'ailleurs ce qu'il avait de mieux à faire? Perdre connaissance. S'endormir et disparaître. Il pouvait toujours rêver, mais cela n'advint pas. Il avait les yeux grand ouverts et l'homme d'Afrique du Nord était bel et bien là, devant lui, avec ce même air médusé qui ne disparaissait pas. Pierre Fortin était à la torture. «Oh, non!» pensait-il. Qu'allait-il arriver? Qu'allait-on faire de lui quand l'homme sortirait de sa paralysie? Il redoutait les pires colères, des sermons, des menaces... Il se voyait déjà dénoncé publiquement, traîné au poste de police, couvert de honte, humilié, roué de coups à plusieurs reprises par les uns et par les autres. Il anticipait des procès à n'en plus finir, des interdictions, des condamnations. Sa vie ne serait plus jamais la même. Il mettrait des années à s'en remettre, s'il s'en remettait un jour. Toute l'affaire, à ses yeux, prenait déjà les allures d'une catastrophe incommensurable.

C'est alors que l'homme d'Afrique du Nord s'est extrait lentement de sa torpeur. Il a secoué vaguement la tête, de droite et de gauche, deux ou trois fois, comme quelqu'un qui recouvrerait ses esprits et reviendrait à la vie après un long sommeil, mais son geste, dans les circonstances, semblait surtout manifester une immense perplexité face à l'attitude du jeune garçon. Pierre Fortin le regardait toujours et, à ce moment-là, il crut deviner sur les traits de ce visage l'expression d'une désapprobation muette, comme s'il était écrit en toutes lettres sur chaque ride et sur chaque pli: «Mon petit garçon, des choses pareilles ne se font pas!» Pour la première fois, Pierre Fortin se sentit l'objet d'une terrible condamnation et, pour la première fois aussi, il perçut, bien que confusément, qu'en effet, il pouvait y avoir quelque chose de répréhensible dans ce qu'il avait fait. Puis l'homme devant lui s'immobilisa de nouveau et il ne se passa plus rien. Pendant un instant, Pierre Fortin pensa qu'il était sauvé, que tout allait s'arrêter là et que l'homme d'Afrique du Nord n'en ferait pas plus. Sans doute se contenterait-il de cette unique réaction, discrète et modérée, plutôt que de provoquer un esclandre public qui le compromettrait lui-même, tout autant que celui qu'il voulait dénoncer. Le temps de quelques secondes, Pierre Fortin en fut immensément soulagé. Encore une fois, cependant, il se trompait. Il y eut plus. Il y eut pire.

Après une courte pause, qui sembla une éternité, et toujours très lentement, comme s'il lui était impossible par nature de faire les choses autrement qu'à ce rythme-là, l'homme d'Afrique du Nord a dégagé son bras droit de l'étreinte de la foule et a levé sa main jusqu'au niveau du visage de Pierre Fortin. Le jeune garçon fut alors persuadé qu'il allait recevoir une gifle, un coup, ou quelque chose comme ça, et aussitôt il contracta ses muscles pour parer au choc et, pour se protéger, il rentra son cou au plus creux de ses épaules. Puis, ce qui se produisit ensuite fut sans commune mesure avec tout ce que Pierre Fortin avait pu imaginer, y compris les pires sanctions. Totalement imprévisible, majestueux et solennel, l'homme déploya largement ses doigts sous le regard terrorisé du jeune garçon, dévoilant une paume énorme, rugueuse et orangée, puis il saisit la joue de l'adolescent entre son pouce et l'index, et la pinça fermement, tout en la tirant vers lui à plusieurs reprises. Pierre Fortin sentit des bulles d'air et de salive glisser entre sa peau étirée et ses dents, tandis que sa bouche déformée s'ouvrait malgré lui dans un rictus ridicule. Son visage était tout près à présent de celui de l'homme d'Afrique du Nord, si près qu'il sentait l'odeur de son intimité, et sa tête penchait vers lui, presque à angle droit, comme celle d'un pantin désarticulé. Pas un mot n'avait été prononcé, pas un reproche n'avait été formulé. Tout cela s'était effectué dans le plus parfait silence, mais, pour Pierre Fortin, la leçon était très claire. Un horrible sentiment de gêne et de honte monta du plus profond de lui et l'envahit tout entier. Il ne savait plus où se mettre.

Partout alentour, les gens étaient d'abord restés passifs et avaient assisté à la scène sans comprendre, indifférents, comme toujours, et remarquant à peine l'évolution des événements. Par la suite, petit à petit, ils s'étaient mis à observer l'homme d'Afrique du Nord et à le fixer sans détour, longuement, tout en manifestant une indignation de plus en plus vive. Tous les yeux étaient tournés vers le jeune garçon contorsionné et vers cette main, odieuse et outrageante, qui osait sur lui exercer une telle violence. Puis, tout à coup autour d'eux, jaillit, comme une rumeur, une hostilité oppressante et non dissimulée. L'homme d'Afrique du Nord était tout à fait conscient de la tension qui commençait à l'entourer et qui le menaçait, plus forte à chaque instant. Il savait que les préjugés jouaient contre lui, parce qu'il était d'Afrique du Nord, justement, et néanmoins, il resta toujours tout à fait digne, se tenant debout, raide et fier, confiant en son for intérieur d'avoir le droit pour lui. Au bout d'un temps, cependant, sans même chercher à se justifier ou à expliquer quoi que ce soit, parce qu'il ne pouvait pas continuer à défier ainsi plus encore l'assistance qui lui était contraire, il finit quand même par renoncer. Affichant tout à coup un air d'extrême dégoût, il se décida alors à lâcher la joue de Pierre Fortin et, d'un brusque mouvement du bras, il rejeta cette tête le plus possible au loin de lui, tandis que le jeune garçon chavirait un peu avant de retrouver tout à fait l'équilibre et la stabilité. Malgré tout, la tension ne diminua pas d'un cran et Pierre Fortin se sentait doublement coupable, pour ce qu'il avait fait d'abord, et ensuite, pour le rejet dont était victime l'homme d'Afrique du Nord. Rien n'allait plus dans le sens qu'il avait espéré. En quelques minutes, le jeune garçon était devenu le point de convergence de toutes les curiosités, ce qu'il aurait voulu éviter plus que tout, et même après que l'homme ait enfin lâché sa joue, il sentait toujours sur lui le poids de mille regards inquisiteurs qui le fouillaient et le transperçaient de part en part. La vie, les hommes, les rencontres, tout lui paraissait tout à coup insoutenable. Au premier arrêt, il se rua vers la sortie comme un voleur.

Cet épisode marqua la fin de toutes les illusions de Pierre Fortin. Tac-la-Main l'avait bel et bien déserté. Elle ne reviendrait plus. En son absence, le jeune garçon ne trouvait plus de goût à rien. Ce furent des jours nouveaux qui commencèrent dès lors, des jours ternes, marqués par l'ennui et la solitude. Désormais, Pierre Fortin se laissait ballotter par les événements sans chercher à s'engager dans quoi que ce soit et en se méfiant des apparences. Avec difficulté, il avait fini par accepter l'idée que les transports en commun n'étaient plus ce lieu de rencontre, chéri et idéal, où s'épanouirait sa sensualité. À présent, ses voyages le rendaient maussade, et tous lui semblaient dépourvus de piquant, tout autant que d'aventure. Souvent, il restait de longues périodes immobile, comme ça, à songer, au bord des larmes, à tout ce qu'il venait de perdre. Il se sentait abandonné à jamais. Il se disait qu'il ne lui restait plus qu'à chercher ailleurs d'autres recours et d'autres appuis qui seraient autant de guides et d'initiateurs, tous indispensables. Il devait exister d'autres relais à la transmission du savoir, de son savoir à lui, si particulier aux yeux des autres, et il les trouverait, il en était sûr, quelles que soient les formes que ceux-ci voudraient bien prendre et quels que soient les lieux clandestins où ils se dissimuleraient. Il était confiant. Il avait la certitude qu'aujourd'hui il saurait les reconnaître, parce qu'il savait à présent distinguer le vrai derrière le conventionnel et le sentiment pur derrière les codes imposés. Et puis, il se disait qu'un jour, il serait grand lui aussi et que, de nouveau alors, dans l'étreinte d'une foule, au hasard d'une bousculade ou d'un coup de frein, il retrouverait Tac-la-main. Elle avait su venir à lui une première fois quand il avait fallu, elle saurait le trouver une seconde fois, plus tard, en temps et lieu. Elle serait superbe et ils vivraient le même bonheur, la même ivresse, avec pour seule différence qu'il serait, lui, de l'autre côté du geste et qu'à son tour il deviendrait l'initiateur. Il se disait qu'il montrerait alors à d'autres ce chemin qu'on avait ouvert pour lui avec tant de délicatesse et d'émotion, et qui l'avait conduit au bout de lui-même. Il devait bien exister une loi sur ce plan-là aussi. Il suffisait d'attendre.

Récit de Pierre Fortin

AVANT LA NUIT

Pendant un temps, il y eut une sorte de période intermédiaire dans notre vie à tous, période pendant laquelle rien n'était véritablement fixé. Des décisions étaient prises qui partaient dans tous les sens et finissaient par se contredire. Les propos et les idées qui surgissaient alors s'opposaient à tout bout de champ les uns aux autres. Aucune ligne de conduite ne parvenait à émerger. Chacun sentait que quelque chose de définitif allait se produire, mais tous nous ignorions ce que ce pourrait être et à quel moment cela interviendrait. Nous avancions sans pilote, à l'aveuglette, avec le sentiment très net que tout autour de nous partait à la dérive, nous-mêmes tout autant que notre famille, nos pensées, nos actions, et bien évidemment, nous n'avions aucune idée de l'endroit où cette dérive allait nous mener. Nous n'avions aucun but, aucun objectif, et surtout pas nous, les enfants.

Ce que je savais, moi, c'est que je voyais dans tout ça quelque chose de décadent qui ne me déplaisait pas et dans lequel je me sentais à l'aise. Je n'éprouvais nul besoin à cette époque de m'inventer des certitudes en me disant que ma vie était en tous points conforme à celle des autres ou de me rassurer en copiant mes attitudes sur celles des gens qui nous entouraient. Au contraire, la différence me séduisait. Enfin, me semblait-il, nous n'étions plus comme les autres, et enfin, nous n'étions plus obligés de jouer à ces enfants modèles dont Louise et Raymond avaient eu la révélation lors de leur voyage aux Îles-aux-Princes. Je constatais avec ravissement que pour la première fois depuis des années notre entourage avait renoncé à nous inculquer de force toutes ces valeurs établies et conventionnelles qui font la fierté et la pérennité de ce que l'on nomme la bonne société. Tout semblait flotter tout à coup autour de nous, sans guide, sans tuteur.

Les détails de notre quotidien furent ainsi livrés du jour au lendemain à la seule appréciation de notre libre arbitre sans que quiconque cherche à nous influencer. Or, justement, notre regard et notre perception d'autrui avaient changé. Sur les gens comme sur les circonstances, nous avions appris à réviser nos jugements et à les dépouiller de toute naïveté. Nous nous sentions transformés, déjà solides, et disposés à faire face à n'importe quel coup du sort qui pourrait encore intervenir. Nos peurs étaient moins nombreuses et, dans le même temps, je m'étais rendu compte que nous avions perdu tout à fait le sens du sacré. Certaines notions, comme celles de folie, d'amour, de fidélité, de mensonge, avaient cessé de nous impressionner et nous apparaissaient même totalement abstraites, comme dépourvues de toute dimension, de profondeur et de conséquence. Il nous était devenu difficile de classer en deux camps distincts et clairement opposés ce qui était bien et ce qui était mal, exercice qui aurait paru pourtant si simple à n'importe lequel des camarades de notre âge. À nos yeux, les pires menaces n'étaient plus que l'ombre d'elles-mêmes et les mots les plus redoutables, que nous ne pouvions autrefois écouter sans trembler, ne parvenaient plus guère à nous effrayer. *Mort, séparation, punition, culpabilité, internat…* Le sens de tous ces termes s'était affaibli peu à peu jusqu'à se réduire à de simples coquilles vides, futiles et inno-centes, qui se heurtaient à nos tympans sans écho. Avec le temps, nous avions même fini par nous les accaparer et nous les avions retournés contre les autres, comme des machines de guerre. À notre tour, nous étions devenus capables de les utiliser à profusion et de les prononcer sur tous les tons, sans hésiter et sans jamais buter sur les syllabes. *Mort, séparation, punition, culpabilité, internat…* tout cela dansait autour de nous et nous ne ressentions plus rien.

Certaines réalités également étaient devenues floues. Nous nous interrogions par exemple sur la présence de notre mère. Habitués à trop de mensonges sur ce sujet et à ne recevoir que des informations approximatives, nous avions fini par ne plus savoir vraiment si elle était là ou pas, je veux dire, si elle n'était vraiment pas là du tout ou si elle était quand même un peu là parce qu'elle ne nous avait pas complètement oubliés. Nous ne savions plus ce qu'il fallait dire, encore moins ce que nous pouvions penser. Dans le même ordre d'idées, nous ne savions pas plus si notre père était là ou pas. Il avait loué un petit appartement juste en face de chez nous, dont les fenêtres donnaient sur nos propres fenêtres, et parfois il nous semblait clair que c'était là-bas sa nouvelle maison. D'autres fois, il était si souvent présent dans son ancien appartement, comme revenu, qu'il nous semblait presque qu'il ne l'avait jamais quitté. Et nous-mêmes, étions-nous vraiment là? Parfois en pension et parfois pas. Parfois sous la responsabilité de l'un et parfois sous la responsabilité de l'autre. Trimballés un peu partout, avec en prime quelques séjours imprévus dans le jardin des rois. Nos perceptions du temps et des événements se déplaçaient. Nous n'étions plus sûrs ni des dates ni de la durée de ce qui s'était produit, et plus sûrs non plus du rôle ou des dires de tel ou tel d'entre nous. Lorsqu'on nous interrogeait sur ce que nous avions vécu, ou lorsque nous tentions d'évoquer ensemble ce qui nous était arrivé, nous nous rendions compte avec horreur que nous n'arrivions même plus à établir une version commune d'un seul événement. Nous étions consternés. Nos souvenirs eux-mêmes nous semblaient inventés.

Cet exercice de mémoire et de reconstitution me fascinait plus que tout et je m'y livrais souvent avec une sorte de nostalgie mêlée chaque fois à un plaisir infini. Je m'employais à retrouver le détail de ces jours passés et je voulais les graver à même mon esprit pour ne plus jamais oublier. Je les revivais intérieurement et je me les répétais longuement, comme pour apprendre une leçon, mais aussi pour le plaisir de la réciter. Cependant, j'en avais conscience, plus je répétais et plus je transformais; plus je voulais m'approprier les faits et plus, sans doute, ils s'éloignaient de la réalité. J'étais arrivé finalement à ce paradoxe qui veut que plus l'on cherche et moins l'on trouve, et c'est à partir de ces réminiscences néanmoins, surgies tant bien que mal de la pénombre de mon inconscient, que j'ai reconstruit mon histoire. Avions-nous vraiment vécu ces moments ridicules où des intervenants bien intentionnés nous envoyaient porter à l'un ou l'autre de nos parents des messages de réconciliation que nous ne comprenions pas tout à fait et qui sonnaient faux dans notre bouche? Avions-nous vraiment espionné, cachés derrière une porte vitrée ou allongés sur la moquette du couloir, ces moments de querelle et ces scènes de lutte qui ne nous émouvaient même plus tant nous y étions habitués? Je ne sais plus et, en conséquence, je ne suis pas plus sûr de ce qui suit ici, mais il me reste quelques visions quand même, quelques éclairs de cette époque, par exemple ce qui arrivait le soir, devant la télé, et aussi ce qui arrivait pour moi seul, avant la nuit. Peut-être mes propos vont-ils se contredire ou manquer de précision, mais ils valent ce qu'ils valent, et je n'ai pas d'autre choix que de les prendre tels quels.

Il arrivait encore, à certaines occasions, pour une raison ou pour une autre, que nous nous trouvions tous réunis autour de notre père dans l'appartement de cette ville éternellement en chantier. Ces moments, qui nous donnaient l'occasion de nous plonger dans un semblant de famille reconstituée, se faisaient de plus en plus rares et ne duraient jamais longtemps, une ou deux semaines au maximum. Les jours que nous vivions alors étaient terribles, durs, compacts, jamais attendris par quoi que ce soit. C'étaient des jours sans peine également, pendant lesquels chacun regardait les autres continuer tant bien que mal à se bâtir une vie propre, le plus souvent intérieure, parce qu'il nous était devenu impossible de communiquer et de partager la moindre émotion avec le reste du monde. Parler de soi, de ses sentiments, poser des questions, exprimer un point de vue personnel étaient perçus comme autant de signes de faiblesse dont la manifestation ennuyait tous ceux qui y assistaient. Nous vivions dans une sorte d'indifférence de l'autre, tout en faisant semblant de donner une grande importance au fait d'être à nouveau ensemble, presque au complet, dans cet appartement sans âme.

Si les journées parvenaient à peu près à nous distraire, ou tout du moins à nous occuper, grâce à leur lot d'activités, aux diverses tâches qu'il fallait assumer et à ces obligations naturelles, aussi simples que manger, s'habiller, se laver ou ranger ce qui traînait, il en allait tout autrement des soirées. La perspective de ces longues heures passées sous la surveillance de notre père ne nous inspirait guère. L'ennui suait de partout et nous ne savions que faire. Pascal se plantait devant la télé. Notre père s'enfonçait au creux de son fauteuil de prédilection, une cigarette à la bouche et le journal à portée de la main. Évelyne et moi restions sagement assis sur le canapé, disposés, comme pour faire joli, à chaque extrémité du meuble. La tête inclinée, Évelyne suçait son pouce et enfonçait les doigts dans ses cheveux, puis, la fatigue aidant, elle laissait tomber sur la pièce un regard absent et déjà voilé par ses paupières à demi fermées.

Ces soirs-là, avant de s'installer au salon, notre père avait pris l'habitude d'enlever ses chaussures et de se promener pieds nus. Il avait des pieds énormes et très abîmés, et justement parce qu'ils étaient abîmés, il avait été décidé de les aérer le plus souvent possible, tout comme on sort les plantes au-dehors, quand l'air est plus doux, pour les faire respirer. Bien sûr, la chose n'était pas nouvelle mais, sans que je comprenne vraiment pourquoi, je m'étais mis tout à coup à éprouver une gêne grandissante face à ce spectacle. Je les observais filer sur le sol et mon regard s'arrêtait de plus en plus souvent sur ces pieds qui vagabondaient sans cesse sous mes yeux. Je me sentais mal à l'aise. Mon attention était alors tout particulièrement attirée par la corne craquelée et jaune qui s'était accumulée sur leurs talons et par ces gros ongles que mon père avait aux pouces, épais et forts, et que le temps avait rendus vitreux. À chaque mouvement, je ne faisais que remarquer d'autres défauts et de nouvelles imperfections qui surgissaient de tous côtés. Là, le frottement des chaussures avait causé à la longue d'importantes déformations, ici, l'usure ou le manque d'entretien avaient imprimé leur marque à même la peau. Les veines étaient torturées.

Des crevasses apparaissaient un peu partout. Je priais pour n'avoir jamais les pieds dans cet état; je priais, encore une fois, pour que les champs de l'hérédité soient les plus réduits possible, tout au moins dans mon cas.

Plus tard dans la soirée, notre père venait s'asseoir parmi nous, dans son fauteuil de monarque, et là, chaque fois, mon émotion atteignait son comble. Nonchalamment, notre père étendait ses jambes devant lui. La pointe de ses orteils se dressait alors exactement dans ma direction et ses pieds se retrouvaient juste devant moi, bien en vue, comme exposés, à quelques centimètres du canapé. Sans doute à cause de mes mauvaises pensées, j'étais persuadé qu'il ne pouvait s'agir d'une simple coïncidence. Je me sentais tout particulièrement visé par ce geste, comme un accusé, quelqu'un que l'on désigne à cause d'une faute. J'étais sûr que mon père le faisait exprès. Il avait deviné ma phobie et il agissait en toute connaissance de cause, et si ce n'était lui, c'est qu'un horrible sort alors s'acharnait contre moi, mais de hasard, je n'en voyais point. Mon malaise grandissait aussitôt. Les pieds de mon père me paraissaient doués d'une vie indépendante. Sans doute pouvaient-ils penser, parler, comploter entre eux, et déjà je les entendais qui s'adressaient à moi sur un ton menaçant. «C'est toi, là!» disaient ces orteils avec obstination, et je vivais dans la peur qu'un jour ils ne se détachent tout à fait du corps paternel pour courir jusqu'à moi dressés sur leurs petites phalanges. Je les imaginais qui sautaient sur mes genoux et j'étais consterné. Je faisais sans cesse des efforts désespérés pour parvenir à détacher mes yeux de ces pieds douloureux qu'on me glissait presque de force sous le nez, mais je n'y parvenais jamais. Je redoutais que mon père s'aperçoive de ma fixation et qu'il s'emporte après moi, me reprochant mon mépris et mon manque d'indulgence. J'essayais sans cesse de regarder ailleurs, je me forçais à penser à autre chose mais, plus forte que moi, mon attention me ramenait toujours au même point, car le spectacle le plus horrible fascine autant que celui de la beauté. Il me semblait que l'état de ces pieds, qui était censé s'améliorer peu à peu, ne faisait au contraire qu'empirer, qu'ils étaient plus laids chaque jour, plus noueux et tordus. En effet, plus je les regardais et plus ces ongles me paraissaient opaques et malades, comme s'ils souffraient d'une véritable cataracte, et plus la corne, également, me paraissait anormalement épaisse et crevassée. J'avais le sentiment angoissant d'avoir découvert une anomalie épouvantable.

Souvent, je m'étonnais d'être le seul à remarquer de tels détails et à en être perturbé à ce point. Comment faisaient Évelyne et Pascal pour rester apparemment si sereins et indifférents à tout? Il me semblait ne pas voir la vie à travers le même filtre qu'eux et ne pas posséder les mêmes instruments d'analyse et de perception. Les miens échappaient au sens commun, ils devaient être faussés à la base, depuis toujours, comme réglés sur d'autres mesures, d'une sensibilité et d'une intensité décalées, trop fortes ou trop faibles, selon les cas. Qu'il s'agisse de considérer n'importe quel problème, n'importe quelle question, au bout du compte, les autres et moi ne parvenions jamais au même résultat. Nos conceptions, notre appréhension de l'extérieur et de nous-mêmes s'opposaient radicalement. Combien de fois l'avais-je constaté? Il était évident que les échelles de valeurs sur lesquelles nous prenions appui étaient à ce point dissemblables qu'elles ne se rejoindraient jamais. J'avais beau m'interroger, chercher un éventuel vice de forme quelque part en moi, une erreur de calcul que j'aurais faite, mais aucune réponse ne m'apparaissait, et ce décalage entre nous persistait sans cesse, à jamais immuable. Une fois de plus, ma singularité se révélait par le biais de mille petits détails, plus ou moins troublants et anecdotiques, et ce constat me tombait toujours dessus à l'improviste comme une grande claque désagréable dans le dos, qui ébranlait tout mon édifice intérieur et renforçait cette sensation d'isolement, vivace et inquiétante, qui m'habitait en permanence.

Pendant ce temps, les yeux rivés sur la télé, allongé sur le sol à deux mètres du meuble, Pascal ne décollait pas des images qui défilaient devant lui. Tout l'intéressait, du dessin animé premier modèle au documentaire scientifique le plus élaboré.

Quant aux films, aux vrais, avec des Indiens et des cow-boys, il était totalement vain d'essayer seulement de l'en détourner. C'était une passion qui remontait à ses plus jeunes années. Autrefois déjà, quand elle était encore là, notre mère le regardait s'abîmer dans la contemplation de l'écran et elle prenait des airs navrés. Elle disait qu'il était pareil pour les livres, qu'il dévorait n'importe quoi, tout ce qui lui tombait sous la main, sur n'importe quel sujet, et que ça faisait longtemps déjà que les albums illustrés, lui, il en avait «plus rien à foutre». Elle disait que, sur ce plan-là, elle ne savait plus que faire ou que penser, et qu'elle ne savait pas non plus si tout cela était bien ou mal.

Quand Pascal était devant la télé, c'était toujours la même comédie. Pour obtenir qu'il aille se coucher, notre père devait user de toutes sortes de stratégies. Pour la forme, il se mettait en colère, se précipitait sur le magazine du programme télévisé de la semaine et revenait triomphant en disant qu'il l'avait bien dit, qu'il s'en doutait et que le film était classé «pour adultes et adolescents seulement». Il nous montrait le journal en insistant: «C'est marqué là... Vous voyez? Ce film, c'est pour adultes et adolescents. C'est clair? Alors, au lit!» Dans ces cas-là, Pascal ne se laissait jamais intimider et il réagissait aussitôt. Les consignes de l'Institut catholique de télévision, qui régnait alors en maître incontesté sur la conscience des familles, le laissaient en réalité profondément indifférent. Il se moquait comme de l'an quarante de la cote et du classement qu'avait pu recevoir le film ou l'émission qu'il était en train de regarder. Seuls comptaient pour lui son plaisir et cette curiosité insatiable dont il faisait preuve dans tous les domaines. Avec emphase, il demandait aussitôt un sursis, se montrait tout à la fois insistant et suppliant, et même s'il n'obtenait jamais la faveur tant espérée, il parvenait si bien à se faire oublier, à se faire tout petit et silencieux, qu'il réussissait toujours à endormir la vigilance paternelle pour quelques instants supplémentaires. Ainsi, d'échéance en échéance, Pascal, au bout du compte, arrivait-il souvent à en voir beaucoup plus que ce qu'il aurait dû.

D'ordinaire si prompt à réagir et à faire appel à cette violence qui sommeillait en lui, notre père se montrait toujours particulièrement laxiste face à la télévision. Son rôle de surveillant semblait le lasser lui-même en premier. L'énergie lui manquait souvent. Sans conviction, il se manifestait à intervalles réguliers, usant toujours des mêmes arguments, puis, ses protestations pour nous arracher au salon et nous faire aller au lit alternaient, comme dans un rythme calculé, avec de longs moments d'absence pendant lesquels il ne nous voyait plus. Il prenait sa tête entre ses mains avec un air rêveur et penchait négligemment les yeux vers son journal. Nous savions alors qu'il venait de fuir dans son monde intérieur et qu'il était à présent très loin de nous. Une sorte d'horloge silencieuse et invisible se mettait aussitôt en marche, quelque part tout au fond de lui, et comptait le temps pendant quelques minutes; jusqu'à ce que de nouveau, comme averti par un signal mystérieux, notre père sursaute dans son fauteuil et qu'une soudaine prise de conscience l'anime tout entier. Il levait alors la tête vers nous en ouvrant de grands yeux indignés, puis il étendait sa jambe pour toucher du bout du pied celle de Pascal, allongé devant lui. Sur un ton qui dissimulait mal un ennui profond, il répétait plusieurs fois à son intention: «Tu m'entends, Pascal? C'est carré blanc, ce film! Vous allez au lit maintenant...»

Aux yeux de notre père, le carré blanc était le symbole suprême de tous les interdits. Sans se soucier du fait que ce fameux petit carré avait été jugé désuet depuis longtemps déjà et qu'il avait disparu de tous les écrans de télévision, notre père y faisait encore référence comme à un puissant outil de dissuasion. Il ne doutait absolument pas du pouvoir que pouvait posséder ce vieil allié et il le ressuscitait avec plaisir chaque fois qu'il en avait la possibilité, persuadé que, même des années plus tard, n'importe quel jeune public continuerait à se détourner spontanément de toute émission télévisée au simple rappel de ce spectre redoutable. D'une certaine façon, le carré blanc, c'était sa botte de Nevers, l'attaque imparable et le recours de la dernière chance qu'on ne tente que dans les situations désespérées, quand on a déjà tout essayé et que rien n'a marché. C'était la carte secrète qu'on garde en réserve dans son jeu et qu'on jette en fin de partie sur le tapis en espérant un ultime retournement de situation. Ce que notre père refusait encore de comprendre, c'est que cette botte ne marchait plus. «Il est tard», reprenait-il. «Il faut aller au lit.» Sa voix traînait, rauque et monocorde, mais ses avertissements demeuraient lettre morte. Le fantôme du carré blanc ne nous impressionnait plus guère, et malgré la crainte que suscitait en nous notre propre obstination à ne pas obéir, la soirée s'enfonçait toujours plus profondément dans la nuit, et personne ne manifestait la moindre intention de réagir.

Évelyne et moi assistions nonchalamment à ces altercations sans nous sentir véritablement concernés. La télé ne nous intéressait pas; ce qui nous intéressait, c'était de voir Pascal tenir tête à notre père. Là n'était pas son habitude et là n'était pas non plus l'ordinaire de la maison, au contraire. Seule la télévision passionnait suffisamment notre frère pour qu'il prenne ainsi le risque de braver les règles de la discipline familiale. Tous les trois avions alors clairement à l'esprit que notre père pouvait s'emporter d'un moment à l'autre et que, même s'il semblait particulièrement fatigué ou éteint, sous ses allures d'apparente faiblesse couvaient en fait les ressources des plus effroyables colères. Évelyne et moi écoutions Pascal lui répondre, nous observions son indolence et nous étions fascinés. Nous avions l'impression de franchir avec lui les limites extrêmes de ce que l'audace pouvait autoriser. Nous ne pouvions nous empêcher de nous interroger chaque fois sur l'issue de telles bravades. Nous nous demandions combien de temps tous deux pourraient ainsi camper sur leurs positions sans aboutir à un affrontement direct. Nous inventions des records à battre, des sommets à atteindre. Nous observions les méthodes de Pascal avec admiration, même si nous n'étions pas sûrs de pouvoir un jour les appliquer à notre tour, avec cette même effronterie insensée qui était la sienne, et que seules motivent les grandes passions. Nous étions impressionnés et fiers en même temps. Une véritable tension montait peu à peu et tissait des liens secrets entre nous. Jusqu'où Pascal allait-il tenir? L'angoisse tenaillait nos sens et, saisis par l'intensité d'un tel spectacle qui rendait l'atmosphère quasiment suffocante, ni Évelyne ni moi ne songions un instant à aller nous coucher. Dans notre vie d'alors, il existait comme ça certaines occasions pendant lesquelles nous étions capables de faire montre d'une solidarité à toute épreuve. Elles étaient rares, il est vrai, mais les soirs de télévision comptaient justement parmi ces cas d'exception et nous nous retrouvions à ce point soudés les uns aux autres par la même volonté de résistance qu'il ne nous venait même pas à l'esprit que nous puissions nous retirer et laisser Pascal continuer seul à défier les commandements de notre père. Pascal était devenu notre guide, notre unique référence, ainsi qu'un symbole de puissance et d'autorité. De lui seul, et non d'un autre, Évelyne et moi attendions le signal du repli.

De son côté, pourtant, Pascal n'était guère conscient des enjeux que nous faisions reposer sur ses épaules. C'était un héros tranquille. Il restait couché à même le sol, le pouce enfoncé dans la bouche, les lunettes plus ou moins bien ajustées sur le nez, et il balançait ses jambes dans le vide avec une indifférence marquée pour le monde alentour qui avait le don d'exaspérer tous ceux qui essayaient tant bien que mal de lui adresser la parole. «Tu m'entends?» répétait à nouveau notre père d'une voix un peu plus ferme. «Encore cinq minutes!» suppliait mollement Pascal qui était tellement absorbé par l'écran, qu'à la fin, il n'arrivait même plus à mettre dans sa voix la conviction nécessaire pour rendre poignante sa requête. «C'est déjà fini les cinq minutes», rajoutait notre père. «Ça fait déjà trois fois que tu as eu cinq minutes. Le marchand de sable est passé maintenant. Ça suffit pour ce soir. Tout le monde au lit!»

Quand il parlait du marchand de sable, notre père regardait surtout sa fille. Pascal et moi, en effet, étions déjà trop âgés pour nous laisser impressionner par ce personnage de conte auquel tous les parents faisaient appel, depuis des générations, pour envoyer au lit leurs enfants. Évelyne, quant à elle, s'y montrait toujours très sensible, même si, bien sûr, elle n'y croyait déjà plus. Cette seule évocation, cependant, suffisait à la transporter ailleurs et affaiblissait sa résistance. Elle se mettait à rêver et imaginait un magicien qui jetait du sable sur les yeux des enfants pour les faire dormir, avant de disparaître dans un tourbillon d'étoiles et sous une pluie de poudre dorée. Ses paupières se fermaient un peu plus encore et voici qu'en quelques secondes elle était cette fois tout à fait disposée au sommeil. Alors seulement, parce qu'à un moment ou à un autre, de toute façon, il le fallait, et parce que, forcément, il n'était pas question de rester ainsi jusqu'à la fin de la programmation de télé, alors seulement, Pascal cédait, c'est-à-dire que nous tous, enfin, nous cédions.

Nous nous levions d'un bond et notre père fermait son journal d'un air satisfait. Évelyne disait: «Est-ce qu'il y a une distribution gratuite ce soir?» et notre père répondait: «Non, pas ce soir. Il est trop tard pour la distribution gratuite.» Nous, on savait que c'était faux. Il n'y a pas d'heure pour la distribution gratuite. Tout le monde sait ça, même les enfants, tout le monde. Il n'y a pas d'heure. Forte de cet argument, Évelyne insistait encore un peu et, comme il se doit, elle gagnait. Trop heureux de nous voir enfin, et à si bon compte, décidés à aller dormir, notre père nous poussait dans le couloir promettant que c'était d'accord, qu'il passerait nous voir tout à l'heure et que nous aurions une distribution gratuite. Puis il attendait un peu, et quand il nous savait tous couchés, il faisait le tour de nos lits et nous rendait visite un par un pour la bénédiction nocturne. Il avait les mains pleines de bonbons et de chocolats. «C'est pas bon pour les dents, vous savez!» disait-il. Nous, on ne voulait rien savoir. On ouvrait ses mains presque de force et on contemplait leur contenu, fascinés, comme par un trésor. «En tout cas, pas plus de deux!» disait encore notre père. Pas plus de deux! Quelle torture! Nous hésitions longuement, rendus perplexes par l'étendue des choix possibles, et puis enfin, nous nous décidions. C'était ça, la distribution gratuite. Ensuite, notre père quittait nos chambres et, pendant qu'Évelyne et Pascal glissaient doucement vers le sommeil, commençait alors pour moi un autre rituel, plus intense encore, et qui revêtait à mes yeux la force, le prestige et le pouvoir de fascination des cérémonies les plus envoûtantes, mais cela, c'était une autre page de mon histoire.

Partout dans l'appartement, le silence, la noirceur, et moi soudain paisible. Souffle profond et mesuré, je m'enfonçais lentement au creux des draps, sous les couvertures, la tête bien calée sur l'oreiller, et je tournais alors les yeux vers la porte de ma chambre. Mon regard fuyait à travers les barreaux de ma tête de lit et la pensée de tout ce qui s'était produit déjà les jours précédents, ici même, à quelques pas, et de tout ce qui pourrait se produire encore, suffisait à me tenir éveillé. Il n'était plus question soudain de fatigue, de rêves d'enfant, ni de compte de sommeil. Des images lumineuses et enivrantes assaillaient mon esprit, mon corps s'échauffait peu à peu et je me laissais aller à ce flot de sensations bienheureuses. Tout comme Pascal devant sa télé, j'étais moi aussi capable dans les grandes occasions d'une patience infinie. Je pouvais rester des heures, à guetter comme un chat, planté, immobile, indifférent à tout ce qui échappait à mon univers, à contempler ce décor vide qui allait s'animer d'un instant à l'autre, car il n'était pas possible qu'il en soit autrement, et à attendre ce moment suprême, chaque jour si violemment espéré et chaque jour si généreusement accordé, où mon père allait regagner sa chambre et où, comme un miracle renouvelé, un cadeau, une jouissance, coucher du Roi-Soleil et magie des apparats, à son tour, enfin, il se préparerait pour la nuit.

Devant moi s'ouvrait un espace clair et dégagé, mystérieusement favorisé par l'agencement de la pièce, comme si le moindre objet, le moindre meuble n'avait été placé dans l'ordre dans lequel il était que pour ménager cette avenue insensée, si précise, si nette, qui partait de mon lit et qui conduisait directement jusqu'à la chambre de nos parents. Aucun obstacle donc. De porte en porte, de bout de couloir en bout de couloir, de relais de lumière en relais de lumière, la perspective aboutissait tout naturellement au pied du lit de notre père, et même très exactement là où il avait l'habitude de se tenir pour passer ses vêtements de nuit. C'était ce spectacle que, chaque soir, j'attendais, et qui, chaque soir, se rejouait pour moi. Parfois tôt, parfois tard, après ce qui me semblait de toute façon des heures interminables, car les temps de veille durent toujours une éternité, mon père finissait par faire son apparition. Il donnait un dernier tour aux verrous de la porte d'entrée, fermait les fenêtres et les stores sur son passage, et après avoir éteint la lumière partout où elle était restée allumée, il franchissait le seuil de sa propre chambre. Savait-il alors à quel point il était attendu? Savait-il qu'il se rendait en fait à un rendez-vous secret par moi commandé? Savait-il que tout avait été conçu pour que nous nous rejoignions ainsi et que j'étais là, dans la nuit, tout à lui dévoué? Dans le vide de l'appartement déserté, il ne restait que nous. Nous seuls, à cette heure, étions encore éveillés et, que mon père le veuille ou non, cette intimité nocturne nous faisait de force communier à la même source, c'est-à-dire au même mystère. Mieux ici que nulle part ailleurs, et mieux à cette minute qu'à toute autre, nos deux vies se rencontraient et se faisaient face. Dans cette inégalable complicité de la nuit, nos respirations se faisaient écho, nos silences se superposaient et nos pensées se répondaient sans aucune entrave. Nous étions deux, nous étions rois, et le monde nous appartenait.

Mon père entrait dans sa chambre et ne refermait jamais la porte sur lui. Il se plaçait alors très exactement dans le prolongement du seul éclairage qu'une petite lampe de chevet diffusait dans la pièce, faiblement certes, mais néanmoins suffisamment pour bien le mettre en évidence. Il s'installait dans ce rayonnement tout à fait comme un artiste recherche les feux des projecteurs lorsqu'il entre en scène ou sur une piste de cirque, et il habitait si bien cette lumière, avec une telle complicité et une telle spontanéité, que j'imaginais parfois qu'elle allait se coller à lui définitivement et qu'elle allait le suivre à jamais dans ses moindres gestes, comme une poursuite de théâtre. Je songeais alors qu'il existe des coïncidences qui ne peuvent se produire tout à fait par hasard.

Que mon père se place si judicieusement au centre de ce cercle de lumière alors que tout le reste de la pièce était dans la pénombre, qu'il ne referme jamais la porte sur lui une fois entré dans sa chambre, et qu'il s'offre ainsi en spectacle avec une si belle régularité et en adoptant une telle précision dans ses gestes constituaient autant de circonstances que je n'arrivais précisément pas à associer à un simple coup du sort, imprévu et fortuit. Même avec le temps et le recul, je n'ai jamais pu me convaincre qu'il ne puisse y avoir de volonté humaine ou qu'il ne puisse y avoir un véritable désir, fût-il latent, derrière cette subtile organisation qui favorisait si bien nos retrouvailles de la nuit, discrètement il est vrai, mais aussi, si sûrement. Jamais je n'ai pu admettre que ces multiples petits détails puissent se présenter et s'enchaîner de cette si prodigieuse et si intelligente façon sans l'intervention ou la participation de quelqu'un, quelque part, en plus et en dehors de moi. Il m'était finalement apparu que tout cela résultait forcément d'actes délibérés. Il ne pouvait en être autrement et il avait suffi que cet incroyable et si magnifique scénario se reproduise à quelques reprises sous mes yeux écarquillés pour que surgisse en moi un premier doute que la force de l'expérience avait rapidement transformé en certitude. Mon père était conscient de tout. Il savait que je le regardais, que j'étais là, à quelques pas de lui, écrasé sous les couvertures, le souffle court et le cou tendu. Si tout cela arrivait chaque soir dans un tel bonheur et avec une telle intensité, si tout cela était si bien rodé comme une merveilleuse mécanique huilée, il était impossible d'en douter, c'est que mon père était lui-même le concepteur de cette aventure renouvelée. Il avait lui-même écrit son propre rôle et, à la nuit tombée, enfin libre, dans un décor inventé spécialement par lui, il se mettait en scène et l'interprétait pour moi.

Mon père ne tournait jamais les yeux dans ma direction, vers cette chambre où ses deux garçons étaient allongés et supposés endormis. L'aurait-il fait, de toute façon, qu'il ne m'aurait pas vu, plongé dans cette obscurité intégrale que rien ne venait troubler, de ce côté-ci de l'appartement. Il restait le plus souvent de trois quarts, parfois de dos ou de profil, jamais de face, le visage orienté ailleurs, à fixer je ne savais quoi, peut-être tout simplement occupé à se détourner de moi. Alors, il se déshabillait. Lentement, sans jamais se soustraire au petit cercle de lumière, mon père enlevait ses vêtements et les quittait un par un comme à regret, avec des gestes las. Il les posait ensuite, et avec méthode, sur une petite chaise Napoléon III, dont le bois vermoulu était peint en doré et dont le siège était couvert d'une soie bleue que le temps avait lacérée par endroits. C'était un meuble si délicat et si fragile qu'il était hors de question de s'asseoir dessus, ne serait-ce qu'une fois encore, même un poids plume, sous peine de le voir s'écrouler et disparaître en poussière pour toujours. À défaut d'autre usage, on l'avait remisé là, en guise de valet, et dorénavant, il accueillait à la nuit, quand on n'en voulait plus, le linge et les outils du jour, et c'était au côté de ce frêle objet d'art, chaque soir, que renaissait pour moi le corps de mon père.

Au fur et à mesure qu'il se dévoilait, je découvrais toujours ce corps avec la même fascination, saisi par cette impression de puissance et de tranquillité qui émanait de lui. Je dévorais des yeux les moindres parties de cette anatomie. Je regardais ses fesses et elles étaient fortes. Je regardais ses épaules et elles étaient larges. Je regardais ses cuisses et elles étaient musclées. Je regardais son ventre et il était plat. Je regardais son sexe et j'étais survolté. J'essayais d'en discerner les différents aspects, le pubis, la tige, le gland, la peau plissée des bourses. J'imaginais sa raideur quand il était en érection, sa longueur, sa grosseur. Je devinais l'ovale des testicules et déjà je les sentais fuyants sous la pression de mes doigts. J'étais à la fois comblé et dévasté. Je me rappelais tout à coup que c'était de ce sexe-là, en quelque sorte, que j'étais sorti et cela me troublait. J'imaginais mon père en train de faire l'amour avec ma mère. Je voyais son corps qui s'acharnait à en pénétrer un autre et j'étais à la fois dégoûté et révolté, fou de colère. Je voulais me lever, sortir du lit pour aller le lui dire. Je voulais lui ordonner de ne plus jamais faire ça et lui interdire l'accès des femmes, de toutes les femmes, et surtout de ma mère. Je voulais lui crier que c'était indigne, indigne de lui, de nous. Je voulais qu'il soit à moi, désormais, rien qu'à moi, parce que j'étais son garçon et que, tout à coup, il ne me faisait plus peur, et que, tout à coup, je l'aimais.

Lorsque mon père était entièrement nu, il restait toujours quelques secondes immobile, désemparé, comme un enfant qui a perdu son chemin. Une sorte d'hésitation générale l'envahissait et il semblait qu'il lui fallait réfléchir longuement avant de décider de ce qu'il convenait qu'il fasse par la suite, dans cette tenue et à cette heure de la nuit. Devait-il dormir ainsi? Devait-il trouver un pyjama, un vieux polo? Allait-il lire avant d'éteindre la lumière ou allait-il s'endormir tout de suite? Le spectacle de cette vulnérabilité et de cette simplicité qu'il offrait tout à coup me bouleversait littéralement. Je sentais un frisson me parcourir de haut en bas, je rentrais la tête dans mes épaules, je remontais mes jambes sous mon ventre et je glissais alors ma main entre mes cuisses. Cet homme-là était mon père et, à cet instant, dénudé et dépouillé, il avait choisi de m'apparaître sous un angle différent. Il avait abandonné tous les attributs de son rôle et de son pouvoir, et devant moi, il avait accepté de renoncer à incarner plus longtemps ce que, aux yeux des autres, pendant le jour, il était. Pour cela, surtout, je ne me lassais pas de l'admirer. Son corps m'obsédait au plus haut point et tout ce qu'il pouvait faire avec m'obsédait aussi. Plus j'y pensais, plus les choses se bousculaient dans mon esprit, et plus ma main s'enfonçait profondément entre mes cuisses. Je me frottais contre les draps et je transpirais abondamment. Je me sentais tellement petit et si grand à la fois. Je me découvrais perdu, désespéré, et j'ouvrais les yeux démesurément pour le contempler, lui, illuminé dans le vide de la nuit tout autour.

Mon père restait nu un temps qui me semblait à la fois très long et très court. Très long, car il était suffisant pour susciter en moi tout un déferlement d'émotions, de réactions et d'images, et très court aussi, car je n'arrivais jamais à me rassasier tout à fait de sa présence, tellement j'étais avide du spectacle de son corps, et tellement j'aurais aimé m'en gaver jusqu'à saturation. Une chose était sûre cependant, le temps filait comme du sable entre mes doigts, les minutes s'évanouissaient, toujours trop vite, et bientôt, tout allait disparaître. Chaque fois, me semblait-il, la scène s'achevait à peine avait-elle commencé. Après un dernier regard autour de lui, mon père se décidait tout à coup à quitter le petit cercle de lumière, dans lequel il avait trôné jusqu'alors, et seule la chaise Napoléon III, couverte de linge, demeurait quelques secondes encore dans ce rayonnement étroit, inutile et blafard. Le décor de nouveau était vide et sans âme. Puis, tout s'éteignait brutalement et c'était comme si mon père venait de me retirer, d'un coup et consciemment, tout ce qu'il m'avait accordé auparavant avec tant de générosité, sa confiance, son attention, son intimité. Sans transition, je me trouvais confronté à l'horreur d'un écran complètement noir que je fouillais désespérément des yeux. La représentation était finie. Le rideau était tombé sur mon théâtre secret et la réalité, insoutenable et aberrante, m'apparaissait maintenant comme une triomphatrice, froide et lucide. J'avais rêvé. Entre mon père et moi, il n'existait rien. Je me sentais sevré sans ménagement, coupé de mes forces vitales, abandonné, sans ressources. Comment supporter une telle absence, une telle déchirure, une telle douleur? Comment accepter? Je plongeais dans mes souvenirs et m'efforçais à plusieurs reprises de rappeler mentalement ces quelques images, aux allures irréelles et déjà imprécises, qui seules parvenaient à me ramener à ces instants, si proches et pourtant si lointains, du bonheur enfui. Je me sentais prêt à tout pour prolonger le plaisir et ressusciter l'ivresse. Je me livrais tout entier à mon désir, me laissant emporter par mes aspirations, au point que mes propres idées, parfois, me faisaient peur. Sous mes couvertures, les frissons et les caresses se faisaient plus intenses à chaque instant, tandis que, langoureux et insistants, les frottements sur les draps s'accentuaient toujours. Mon souffle s'élevait lentement et mon cœur, malgré lui, peu à peu, battait plus fort. Enfin, une immense délivrance mouillait mes mains et coulait sur mon ventre.

C'était fini. Un profond soulagement me submergeait tout entier, qui calmait à la fois mon corps et mes esprits. Alors, sur ce monde provisoirement apaisé, et dans lequel n'existait plus ni marchand de sable ni distribution gratuite, sur ce monde-là et sur les autres aussi, la nuit pouvait tomber, et elle tombait vraiment.

Épilogue

SANS PASSION
NI JALOUSIE

*Ou comment une histoire qui commence par une question
s'achève par une autre question,
et comment surgissent les réponses,
loin des passions et des jalousies.*

Quand Louise Fortin revint finalement de son séjour dans les Bouches-du-Rhône, elle était devenue une petite femme résignée et brisée par la vie. Raymond Fortin était allé l'attendre à la sortie de sa maison de repos pour la ramener dans la ville en chantier qu'ils habitaient encore et elle avait cru un temps qu'il s'agissait là d'un geste de réconciliation, que tout allait reprendre entre eux, comme avant, et qu'il était venu la chercher pour mieux la garder auprès de lui. Dans les faits, aussitôt rentré, Raymond Fortin s'était empressé de regagner cet appartement d'en face, dont les fenêtres donnaient sur les nôtres, et qui était le sien désormais. Depuis, Louise restait enfermée chez elle, plongée dans une semi-pénombre, et c'est là que les rares amies qui lui étaient restées fidèles venaient encore parfois lui rendre visite. Dans ces moments-là, elle se déplaçait d'un fauteuil à l'autre, calme et tranquille, proposant du thé ou des gâteaux avec des airs rêveurs. Chacun de ses mouvements paraissait doux, tendre, et l'air semblait à peine se déplacer tout autour d'elle quand elle bougeait. On ne la reconnaissait pas, on la trouvait encore plus petite qu'avant. Pour un rien, elle souriait à la ronde et son sourire mettait toujours un temps très long avant de s'effacer tout à fait de son visage, ce qui lui donnait souvent une expression béate qui faisait dire aux gens que, vraiment, elle n'était plus la même.

Louise Fortin ne parlait presque plus et, même lorsqu'on lui adressait la parole, elle répondait à peine. Dans sa valise, on avait encore trouvé un véritable arsenal de ceintures au sujet desquelles elle n'avait donné aucune explication et qu'on avait aussitôt redistribuées au Secours catholique sans même chercher à comprendre. Au fil des jours, Louise passait de longues heures à dormir, à rêver ou à se remémorer avec effroi une scène épouvantable qui s'était produite pendant son séjour dans les Bouches-du-Rhône. Une nuit, elle avait été réveillée par des cris horribles qui venaient de la chambre voisine de la sienne. Elle s'était précipitée dans le couloir et, malgré le personnel qui essayait de faire la police et de la renvoyer au lit, elle avait clairement vu la silhouette d'une femme qui se roulait à terre, enveloppée de flammes et de fumée noire. Le corps de la malheureuse avait lutté longuement contre la souffrance en déchirant l'air avec des gestes frénétiques, mais on l'avait découverte trop tard pour pouvoir la sauver et les maigres secours, lorsqu'ils arrivèrent, n'eurent même pas l'occasion d'abréger ses souffrances. Elle ne bougeait plus. Le lendemain, on n'avait parlé que de ça dans l'établissement des Bouches-du-Rhône et Louise Fortin était restée profondément marquée par ce tableau. Elle s'imaginait déjà victime d'un sort identique, tenant à peine debout, engourdie par les somnifères, une cigarette à la main et des flammes prises partout dans ses vêtements de nuit. Elle voyait l'acrylique et le nylon fondre littéralement à même son corps et elle sentait sa peau griller dans cette odeur immonde qui avait persisté plusieurs jours tout autour de sa chambre. Quand elle parvenait enfin à chasser ces spectres abominables qui l'habitaient en permanence, elle chantait *Azzuro* à pleine voix et reprenait le premier couplet inlassablement avec des allures de cantatrice. «Nous sommes un couple bizarre... Moi je travaille, toi tu ne fais rien...» À présent, Raymond Fortin n'osait plus l'interrompre. Il venait prendre de ses nouvelles de temps en temps, et il la regardait passer lentement d'une pièce à l'autre au cours de longues journées identiques qui n'en finissaient plus et pendant lesquelles il restait confondu, ne sachant comment intervenir, ni même s'il devait le faire. Puis, un matin, il prit la décision de partir et de quitter la région. Le Sud l'appelait. Il laissa tout, son appartement et celui de Louise, les meubles, la voiture... mais il laissa aussi les enfants, les dettes et les responsabilités à venir.

Louise Fortin mit un certain temps à comprendre que son mari était parti tout à fait. Personne, de toute façon, dans ce qui lui restait d'entourage, n'avait pris l'initiative de le lui expliquer vraiment. Les choses, dans cette maison, semblaient tellement se gouverner d'elles-mêmes, et depuis de si longs mois maintenant, sans que quiconque ne tienne vraiment la barre du navire, qu'on ne voyait pas très bien pourquoi, tout à coup, un départ de plus ou de moins, tout comme un retour de plus ou de moins, aurait pu changer quoi ce soit à la situation. La dérive était même si ancienne que nous étions presque parvenus en nous-mêmes à ce moment d'optimisme et d'espérance où l'on veut se convaincre qu'un port apparaîtra bientôt, car il n'est pas possible, n'est-ce pas, de s'égarer éternellement sans qu'une terre ne finisse par surgir. Louise Fortin ne réagit donc pas. Sur ce départ, sur cette absence, elle ne posa pas de questions et ne chercha pas à s'expliquer ce qu'elle ne pouvait comprendre. Le constat seul suffisait. On l'avait quittée.

Pendant des semaines et des mois, Louise Fortin continua de déambuler à travers l'appartement, accomplissant seulement de tout petits gestes, et avec une telle économie de moyens qu'ils passaient le plus souvent totalement inaperçus. Elle parlait de moins en moins. Son visage lentement se ferma au monde. Elle cessa de chanter *Azzuro*, tandis que ses airs rêveurs et que son sourire à rallonge cédaient peu à peu la place à une expression impassible et contrariée. Elle semblait aux prises avec de terribles réflexions dont elle ne parvenait pas à se libérer et qui ne lui laissaient aucun répit. Quelle faute avait-elle commise? Où était son erreur? Avait-elle cheminé sur une mauvaise voie depuis toujours? Et sinon, à partir de quel moment, dans sa vie, s'était-elle fourvoyée? Dans cette foulée, elle se demandait également... Est-on prédestiné au bonheur, au succès? Pourquoi le sort était-il toujours favorable aux autres exclusivement, et jamais à elle-même? Elle revoyait le doigt de Raymond Fortin qui se tendait dans sa direction lorsqu'il était en colère. «Tu as fait ceci. Tu as fait cela.» Elle le trouvait injuste et impitoyable. Elle ne voyait plus d'issue ailleurs que dans le silence. «Je vais me retirer dans un couvent et je vivrai recluse», disait-elle parfois, en guise de réponse, lorsqu'on s'obstinait à l'interroger sur sa santé. Elle faisait l'impossible pour retenir ses larmes mais, dans les faits, elle n'y parvenait guère.

Coupée du mouvement de la vie, Louise Fortin se perdit dans un monde de lamentations et s'enfonça peu à peu dans ses ténèbres intérieures jusqu'à ne pas pouvoir tomber plus bas. Elle se rendit compte alors qu'il était impossible de tout garder en soi et elle décida de revenir en pleine lumière, de reprendre sa place dans la marche du temps. Son tourment s'extériorisa. Elle formula ses questions à voix haute et sa capacité à se mettre en colère resurgit à l'instant même où elle découvrit l'étendue de sa révolte et de son indignation. Les torts n'étaient pas de son côté. Elle s'était accusée et torturée inutilement. C'étaient les autres, les coupables, c'étaient les autres et, surtout, c'étaient les hommes, tous, en général. Du jour au lendemain, elle leva les yeux du sol, sur lequel elle les tenait plaqués d'ordinaire et depuis trop longtemps, et tout en songeant à l'enchaînement des événements qu'elle avait traversés et qui l'avaient conduite au désastre qu'elle connaissait aujourd'hui, elle se demanda tout simplement: «Mais à quoi ça rime, tout ça?» En peu de temps, ces quelques mots devinrent la clef de sa délivrance. Elle prenait ses enfants à témoin et, quand ils ne voulaient pas l'écouter, elle insistait et les poursuivait d'une pièce à l'autre, se collant littéralement à leurs talons, et elle leur criait à travers tout l'appartement: «Alors! À quoi ça rime? Je vous le demande...» Et cela voulait dire: «Après tout, vous êtes ses enfants. Ses enfants à lui! Vous devez savoir. Forcément...» Elle était sûre du bien-fondé de sa démarche.

À quoi ça rime? Peut-on répondre quoi que ce soit à une telle question? Peut-on justifier intelligemment telle ou telle situation en commençant son plaidoyer par: «Tout ça rime à...»? Est-il possible de dire que cela rime à ceci ou à cela?

Cette question avait le don de réduire tout le monde au silence et les enfants Fortin ne supportaient plus de l'entendre si souvent à eux posée. Chacun d'eux percevait très bien l'étendue du questionnement que soulevait Louise Fortin, ainsi que la part d'indignation qu'il comportait; ils comprenaient également tout à fait ce besoin d'y voir clair qui motivait son insistance et, d'une certaine façon, ils compatissaient avec elle, mais que lui dire? Et pourquoi s'adressait-on toujours à eux comme s'ils possédaient la solution de tout? N'existait-il pas d'autres personnes, des adultes cette fois, des gens qui auraient provoqué cette situation, qui l'auraient voulue, et qui seraient bien mieux placés que n'importe qui d'autre pour en parler et pour la justifier? Les enfants Fortin se sentaient accusés en permanence, comme s'ils étaient responsables de ces bouleversements que la famille avait connus, et ils ne savaient comment échapper à ce harcèlement insoutenable. Évelyne se jetait dans les bras de sa mère en la suppliant d'arrêter et en l'assurant que tout allait rentrer dans l'ordre, que son père allait revenir, parce qu'elle le lui avait demandé, elle, personnellement, et qu'il le lui avait promis; elle affirmait qu'elle le lui redemanderait encore et encore, au besoin, et aussi souvent qu'il le faudrait. Quant aux garçons, ils ne bougeaient pas, tout occupés à mettre entre eux et leur quotidien une distance suffisante pour se sentir un tant soit peu épargnés par cette culpabilité qu'on voulait leur imposer et qui les menaçait.

Après de telles scènes, Pierre Fortin restait souvent méditatif. Il passait et repassait inlassablement la question de sa mère dans sa tête. Il lui apparaissait alors clairement que si Louise Fortin avait demandé n'importe quoi d'autre, si elle les avait interrogés sur n'importe quel autre sujet, dans ce cas, tout aurait été possible. Si elle avait dit: «Pourquoi est-il parti?» ou encore: «Que nous est-il arrivé?» oui, tout aurait été différent, car, à ces questions-là, Pierre Fortin en était sûr, il existait des réponses. Il aurait été facile, par exemple, de commencer une phrase en disant: «Il est parti parce que...» ou «Il vous est arrivé telle et telle chose...» Ces réponses, d'ailleurs, Pierre Fortin se sentait déjà capable de les donner, tout au moins en pensée. Il avait observé, analysé, conclu et il avait fini par établir, pour lui-même, une nouvelle version des faits, différente de celle, officielle, qui était propagée par sa mère. Il n'appréhendait pas les choses et les gens de la même façon qu'elle et il avait abouti entre autres à certaines explications, sur l'attitude de son père notamment, qui lui semblaient aussi lumineuses et évidentes que des vérités générales, mais pour rien au monde, cependant, se serait-il risqué à les énoncer devant Louise Fortin. Celle-ci était loin encore de pouvoir tout entendre, et d'ailleurs, comme avertie par un réflexe inconscient d'autoprotection, Louise Fortin ne s'approchait jamais aussi près du cœur de sa douleur. Elle évitait toujours les vraies questions et continuait ainsi à s'acharner sur la seule qui ne la menait nulle part et qui ne la remettrait jamais directement en cause: «À quoi ça rime, tout ça?»

Pendant des années, Pierre Fortin a cheminé avec l'écho de ce questionnement que sa mère avait incrusté en lui, des années pendant lesquelles Évelyne s'est efforcée de grandir et de devenir, comme il se doit, un double parfait de Louise Fortin, et des années que Pascal mit presque entièrement à contribution pour parvenir à vaincre sa peur de tout, à cesser de salir ses vêtements et à trouver un tant soit peu d'équilibre. Pierre Fortin de son côté prit le temps de laisser retomber toute la poussière sur ces années d'éclipse. Il avait traversé des épreuves, il avait rencontré l'amour, puis il l'avait perdu, il avait vu mourir des gens, proches et lointains, il avait réinventé le monde, le sien, ses souvenirs, puis à son tour, enfin, en pensant à sa propre vie, il s'était posé cette question que sa mère autrefois se posait pour elle-même, et il en était venu à cette conclusion qu'il n'existait qu'une seule réponse à tout cela et que cette réponse était: «À rien.» Il n'était guère besoin d'être bien vieux pour savoir que les choses ne riment à rien, jamais, et la vie se chargeait de le confirmer chaque jour et pour nous tous. Qui que l'on soit, quoi que l'on fasse, quoi que l'on dise, que ce soit bien ou mal, juste ou faux, bon ou mauvais, si on se demande un jour, ne serait-ce qu'une fois, une seule fois, à quoi rime tout cela, la réponse est toujours la même, immuable et sournoise, imperturbable, tranquille et solennelle, comme un défi, une audace, et c'est toujours: «À rien.»

TABLE DES MATIÈRES

imprimerie gagné ltée

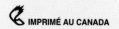

IMPRIMÉ AU CANADA